› » » › Gruppo Lingua

Coordinamento scientifico
di Marco Mezzadri e
Paolo E. Balboni

GUIDA DELL'INSEGNANTE

CORSO
MULTIMEDIALE
D'ITALIANO
PER STRANIERI

ITALIANO: PRONTI, VIA!

Guerra Edizioni

Guerra Edizioni

I edizione
© Copyright 2008
Guerra Edizioni - Perugia

ISBN 978-88-557-0115-0

Guerra Edizioni
via Aldo Manna 25 - Perugia (Italia)
tel. +39 075 5289090
fax +39 075 5288244
e-mail: info@guerraedizioni.com
www.guerraedizioni.com

Progetto grafico
salt & pepper_perugia

GUIDA DIDATTICA

DESCRIZIONE DEL MANUALE

Il corso è diviso in due volumi, corrispondenti ai livelli del *Quadro comune europeo* A1-A2 il primo e B1-B2 il secondo. In particolare per il sillabo della grammatica, il secondo volume propone, nelle ultime sezioni, percorsi di livello C1.

Ogni volume presenta:
- un indice analitico:
  è utile scorrere con gli studenti l'indice, far scoprire loro come esso possa essere usato come mappa mentale, come riferimento continuo, per andare a cercare punti su cui si hanno incertezze. È uno degli strumenti che *Italiano: pronti, via!* mette a disposizione dell'insegnante per perseguire il non semplice obiettivo dell'autonomia dello studente, in sintonia con le indicazioni del *Quadro comune europeo di riferimento per le lingue*;
- 8 percorsi, sulla cui organizzazione torniamo sotto;
- una sezione grammaticale di riferimento: anche questa deve essere accuratamente presentata agli studenti affinché imparino a usarla frequentemente. È uno strumento di riferimento a cui gli studenti si affidano, in autonomia o sotto la guida del docente, per elaborare e sistematizzare quanto acquisito e appreso durante i percorsi del libro;
- un glossario in cui il lessico viene fornito sia per ogni percorso sia in maniera globale per il volume.

Ogni percorso è strutturato in questo modo:

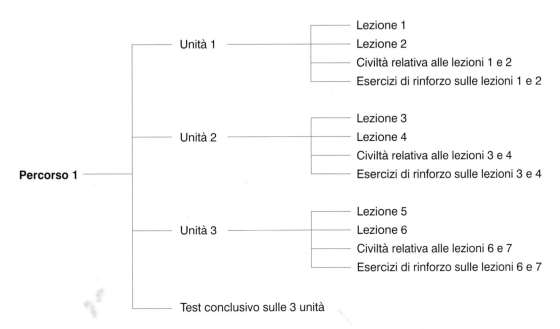

Una **lezione** è calcolata per il lavoro di una sessione di un'ora e mezza circa ed è conclusa in sé, comprende alcune attività che possono essere rimandate al lavoro individuale a casa, se l'insegnante lo ritiene opportuno. Una "lezione" è dunque il modello della glottodidattica degli ultimi anni noto come "unità d'apprendimento": è ciò che lo studente percepisce come un blocco unitario, un singolo "mattone" nella costruzione della lingua.

La lezione di *Italiano: pronti, via!* rispetta lo sviluppo dell'unità di apprendimento, dalla fase della motivazione e della globalità, a quella dell'analisi e quindi della sintesi con riflessione sulla lingua.

Vale la pena spendere due parole sulla motivazione in quanto meccanismo che promuove il coinvolgimento dello studente non solo da un punto di vista affettivo, ma anche cognitivo. Cioè per incuriosire e per stimolare lo studente a compiere percorsi iniziali che gli permettano di formulare ipotesi sul contenuto del testo che costituisce il corpo centrale della lezione/unità d'apprendimento. In questo modo, attraverso la sollecitazione della cosiddetta grammatica dell'anticipazione (*expectancy grammar*) lo studente inizia il processo di comprensione prima dell'incontro con il testo. Questo approccio facilita l'acquisizione degli elementi linguistici e culturali, aiuta a rendere autonomo e più attivo lo studente nel controllo dei propri percorsi di apprendimento e, allo stesso tempo, avvicina la didattica alle modalità naturali di sviluppo della comprensione, così come da decenni vengono riconosciute da tanta parte della comunità scientifica.

Ogni **unità** è l'"unità didattica" della tradizione, secondo la quale l'insegnante organizza il suo lavoro; ogni unità didattica di questo manuale comprende due lezioni (circa 3 ore) più il lavoro di civiltà e gli esercizi di approfondimento e di rinforzo (un'altra sessione di circa un'ora e mezzo). Quindi la durata è di circa 4-5 ore in totale.

Quando la competenza degli studenti comincia a essere abbastanza solida, alla fine di un'unità didattica è possibile inserire una lezione di decondizionamento, di stacco: un gioco di ruolo, l'ascolto di una canzone, la lettura di un passo preso da un libro o da una pagina di Internet, una lettura di storia o geografia o civiltà sugli appositi libri disponibili presso l'editore. Questa modalità di impiego del manuale porta, ovviamente, a riconsiderare la durata complessiva del percorso educativo. In sostanza, l'insegnante è invitato a essere molto attento a come gestisce l'integrazione tra il manuale e le attività elaborate autonomamente o prese da altri testi, al fine di non snaturare l'azione didattica del manuale. In questo senso, *Italiano: pronti, via!* è frutto di una tradizione glottodidattica che invita l'insegnante, in piena sintonia con il *Quadro comune europeo*, a essere consapevole delle conseguenze delle proprie azioni didattiche e, quindi a presentare attività coerenti con l'impianto metodologico del manuale. Tuttavia, questa riflessione non deve essere vissuta come una limitazione alla libertà didattica del docente, anzi! Esistono spazi enormi di interazione tra i percorsi del manuale e le attività proposte dal docente: ad esempio, l'insegnante risulta fondamentale nel momento della motivazione affettiva iniziale e durante tutto lo sviluppo delle lezioni. È l'insegnante che conosce la propria classe, che sa quali sono gli interessi degli studenti, che riesce a interpretare le scelte del manuale e a metterle in comunicazione nel migliore dei modi con la realtà che vivono gli studenti. È sempre l'insegnante, e non gli autori del manuale, che può capire quando un'attività, una parte della lezione risulta troppo difficile, o quando il manuale non presenta sufficiente materiale didattico per sviluppare un obiettivo in funzione della lingua e della cultura di origine dello studente, e così via. È in questo senso e in questi modi, e non solo invitando a proporre una lezione di decondizionamento, che gli autori di *Italiano: pronti, via!* si augurano che il rapporto tra il libro e gli insegnanti che usano il manuale, così come i loro studenti, possa realizzarsi all'insegna di una collaborazione consapevole e coerente.

Il **test conclusivo** del percorso, quindi delle 3 unità, non è inteso per la valutazione da parte dell'insegnante, anche se può essere usato a questo scopo, bensì per consentire l'autovalutazione da parte dello studente, che può quindi eseguirlo a casa, per poi partecipare alla correzione comune che viene svolta nella seduta successiva.

Il **percorso** è un modulo autonomo, un blocco omogeneo; la sua durata minima è di circa 12-15 ore, cui si aggiungono:

- il test conclusivo, o quanto meno la sua correzione collettiva, se è stato svolto a casa coinvolgendo gli studenti in un processo di autovalutazione;

- l'eventuale verifica in classe prevista dal docente per una valutazione ufficiale;

- una eventuale sessione di recupero per chi ha avuto risultati scadenti nel test, mentre gli studenti che non hanno problemi possono svolgere un lavoro in gruppo (ad esempio, provare a tradurre nella lingua madre una canzone, leggere un breve testo da un giornale scaricato da Internet, ecc.)

- le eventuali ore di stacco tra le unità didattiche, indicate sopra.

In questa **guida** si danno delle indicazioni generali sui contenuti delle singole unità e lezioni, alcuni suggerimenti metodologici sul modo di presentare le varie attività (ampiamente commentate la prima volta che vengono proposte), la soluzione di tutti gli esercizi (tranne quelli a risposta libera), suggerimenti per i parametri di valutazione di quel che gli studenti producono durante le loro esercitazioni, suggerimenti per attività supplementari.

Il manuale comprende anche **CD audio** con materiali che possono anche essere scaricati dalla rete. Nelle registrazioni si è utilizzato, soprattutto all'inizio, solo l'italiano standard, facendolo parlare anche a personaggi che, nelle situazioni, vengono presentati come stranieri: è ben vero che l'alta competenza linguistica del personaggio straniero è incoerente sul piano situazionale, ma è altrettanto vero che c'è un'autenticità psicologica (lo studente straniero che studia su questo manuale si identifica con un giovane straniero che è in Italia e deve affrontare problemi simili ai suoi) che fa perno sulla mera autenticità linguistica – che per altro lo studente straniero non è in grado di cogliere…

Italiano: pronti, via! è anche corredato da un **sito internet**: www.guerraedizioni.com/italianoprontivia dal quale è possibile scaricare gli audio del libro, i glossari con i termini utilizzati nel manuale tradotti in numerose lingue, le consegne di parte delle attività del livello A1 (percorsi 1, 2, 3, 4) tradotte anch'esse nelle lingue dei glossari, la sintesi grammaticale contenuta nell'Appendice. Il sito offre inoltre la possibilità di entrare in contatto con gli autori di *Italiano: pronti via!* e con la grande comunità virtuale di insegnanti e studenti di italiano raggruppati attraverso le diverse iniziative dell'editore.

PROCEDURE DIDATTICHE RICORRENTI NELLE LEZIONI

Le singole lezioni non hanno un impianto omogeneo, ripetitivo, per evitare la noia della prevedibilità; ci sono tuttavia sia delle procedure, sia delle rubriche ricorrenti. Eccone alcune:

a. le **attività di ascolto** vengono di solito precedute da attività di esplorazione del contesto, visto che è su queste previsioni che si fonda gran parte del successo nella comprensione. È quindi importante guardare con gli studenti le foto, far intuire che situazione illustrano, che cosa può succedere in quella situazione, quali elementi linguistici sono già noti. Sapendo che cosa avverrà nel dialogo, l'insegnante può orientare, con discrezione, i tentativi degli studenti di fare previsioni, in modo da guidarli verso le previsioni giuste. Tuttavia, non è necessario e può anzi rivelarsi controproducente sottolineare la correttezza delle previsioni e delle ipotesi che vengono formulate. È infatti molto importante, per favorire la comprensione del testo e soprattutto per sviluppare le capacità di comprensione dello studente, lavorare sul processo di formulazione delle ipotesi e non solo sul prodotto, quest'ultimo costituito dalla correttezza delle ipotesi formulate. A questo fine, è importante prestare attenzione durante la lezione alla gratificazione degli studenti non esclusivamente in base alla correttezza del risultato raggiunto (la risposta esatta, la giusta previsione) ma anche in base al processo, al valore del percorso di riflessione e formulazione di ipotesi compiuto. In questo modo lo studente si abitua a cogliere l'importanza metodologica di un determinato modo di procedere e a replicarlo in autonomia.

In alcuni casi, queste attività sono già indicate come esercizio propedeutico, ma anche lì si esplora solo parzialmente la massa di informazioni che può venir ricavata dal titolo, dai fumetti, dalle immagini, quindi l'insegnante può ampliare questa pratica di esplorazione contestuale sia per le attività di ascolto sia per quelle di lettura. Queste attività forniscono spesso occasioni preziose di integrazione delle abilità, cioè ad esempio di far praticare la conversazione, prima di lanciarsi nella scoperta di un testo d'ascolto o di lettura. Inoltre, permettono un riuso di elementi linguistici e culturali appresi in precedenza e possibilità plurime di adattamento del manuale alle esigenze specifiche di una classe o di singoli studenti.

Nella soluzione degli esercizi, in questa guida, di solito si fondono sotto il titolo collettivo *Ascolto* o *Comprensione* o *Lettura* tutte le attività di questa prima fase di contatto con il testo;

b. il **lessico**, quando possibile, viene presentato con il supporto di un'illustrazione, per coinvolgere anche la memoria visiva; le foto comunque offrono molto più lessico implicito di quanto sia possibile metterne negli esercizi, e quindi l'insegnante può proficuamente utilizzarle a scopo lessicale.

Per raccordare il lessico italiano con la lingua madre, ci sono dei **riquadri interlinguistici**, contraddistinti dal fondino verde, in cui si chiede di fornire per alcune parole chiave anche il corrispondente nella lingua dello studente;

c. la **grammatica**, dove è possibile, viene introdotta in maniera induttiva: lo studente viene invitato a completare degli schemi che non gli vengono forniti già pronti nel libro, in modo da sviluppare la sua capacità di osservazione e la sua capacità di imparare a imparare. Nell'appendice grammaticale, tutto quanto proposto induttivamente durante le lezioni viene dato in maniera esplicita per favorire la sistematizzazione e la ripresa della grammatica appresa; i riquadri grammaticali induttivi sono segnati dal simbolo qui accanto:

SCOPRI LA REGOLA!

d. la **pronuncia** e l'**ortografia** sono curate in una sezione apposita in molte lezioni; la procedura di svolgimento risulta evidente dagli esercizi stessi;

e. la **cultura** quotidiana italiana è implicita nei dialoghi delle lezioni: l'insegnante, anche in considerazione della distanza culturale tra italiani e studenti con cui lavora, può fare emergere facilmente quel che ritiene di mettere in evidenza. Ogni due lezioni c'è una sezione di civiltà denominata *Vita italiana* dove viene ripreso il tema conduttore dell'unità: si tratta di un testo che (tranne nelle prime unità, dove la competenza linguistica è ancora al minimo) serve anche per lo sviluppo dell'abilità di lettura e come pretesto per sviluppare abilità di studio quale, ad esempio, l'uso del dizionario. Dopo le prime unità, a mano a mano che si sviluppa anche la capacità di scrivere, viene chiesto di stendere un breve testo in cui si confronta la cultura italiana con quella del paese di origine dello studente: questo approccio comparativo è fondamentale per far sì che lo studio dell'italiano sia anche un modo per scoprire se stessi, risultando, così, motivante;

f. gli **approfondimenti** che si trovano dopo la pagina di cultura e civiltà hanno una duplice funzione: da un lato – dopo le prime unità – servono per verificare la comprensione del testo di civiltà che è stampato nella pagina a sinistra; dall'altro, offrono esercizi di fissazione, spesso volutamente meccanici, che aiutano molti studenti a rafforzare quello che, con l'impianto comunicativo delle lezioni, può essere loro sfuggito sul piano grammaticale;

g. alla fine di ogni percorso viene proposto un **test di autovalutazione** in cui la componente morfosintatttica gioca un ruolo molto forte: l'autovalutazione della capacità di comprendere e di comunicare per iscritto è sotto gli occhi degli studenti giorno dopo giorno, non c'è bisogno di un test per dire loro se comprendono o no, cioè è nell'interazione costante tra lo studente e i materiali di studio e con l'insegnante che si realizza un processo di continuo automonitoraggio; il test invece serve per verificare il livello di accuratezza morfosintattica, di cui spesso gli studenti non sono consapevoli. Il test è inteso per il lavoro a casa, seguito da una correzione collettiva in classe. Oppre, alternativamente, può essere assegnato come attività di classe da svolgere individualmente.

PERCORSO 1

Questo primo percorso ha come scopo introdurre all'italiano, garantire un primo contatto – ed è uno dei più difficili, metodologicamente parlando, di tutto il corso. Il principio di fondo è quello di lavorare su testi per quanto possibile verosimili, anche se contengono molto più materiale di quanto gli studenti useranno: "non deve essere facile il testo, devono esserlo le attività" – e questo principio va spiegato agli studenti fin dall'inizio per evitare che si spaventino di fronte alla difficoltà o si stupiscano di fronte alla semplicità delle attività. Sul piano affettivo, la ragione di questa scelta (difficoltà del testo e semplicità delle attività) è semplice: la paura di non farcela, la sensazione di non capire, sono la cosa più pericolosa sul piano motivazionale nelle fasi iniziali, e quindi domande semplici, attività abbordabili garantiscono la riuscita e quindi uno stato d'animo costruttivo da parte dello studente.

Ricordiamoci, dunque, di non puntare alla comprensione di tutto il dialogo, di tutto il testo – su cui magari si può tornare in seguito, a mano a mano che le competenze si rafforzano, privilegiando un ascolto e una lettura passo dopo passo, secondo il percorso psicolinguisticamente corretto che va dalla comprensione globale a quella analitica e che poi cerca una sintesi, una sistematizzazione sia negli atti comunicativi ("sapersi presentare", "saper salutare" ecc.), sia nella grammatica, sia nel lessico che comincia a formarsi.

L'approccio al testo, prevalentemente costituito da dialoghi iniziali, è graduale in questo manuale. Si va da una prima fase di motivazione, di cui già si è detto nelle pagine precedenti, all'esposizione globale al testo. Dopo un'esplorazione globale iniziale, durante la quale allo studente viene chiesto, ad esempio, di ascoltare il dialogo per confrontare il testo con le ipotesi scaturite nella fase precedente attraverso la riflessione sul titolo, sulle immagini, sulle parole chiave, in generale sugli stimoli proposti dal docente, la comprensione viene approfondita attraverso un ascolto, nel caso del dialogo, o una lettura nel caso di un testo scritto, più dettagliati. Spesso, nel caso del dialogo, questo approfondimento della comprensione passa attraverso un ascolto abbinato alla lettura della trascrizione del dialogo. Il docente che si troverà di fronte a un dialogo corredato dalla relativa trascrizione dovrà sapientemente istruire la classe, facendo capire agli studenti che una lettura del testo del dialogo effettuata troppo presto non permette un corretto sviluppo dell'abilità di ascolto e delle strategie cognitive legate alla comprensione. Dovrà, quindi, invitare gli studenti a coprire il testo del dialogo riprodotto sulla pagina e a leggerlo solo al momento opportuno e nelle modalità corrette.

	FUNZIONI	GRAMMATICA	CIVILTÀ
Percorso 1 Unità 1 *Incontri* Unità 2 *Conoscere le persone* Unità 3 *Informazioni personali*	- affermare, negare; confermare, controbattere - chiedere cosa significa e come si dice o si scrive una parola, chiedere di ripeterla - esprimere meraviglia - parlare di nazionalità e di provenienza - presentare/si, chiedere e dire il nome, l'età, l'indirizzo e il telefono di una persona - ringraziare - salutare	- *a/in* nello stato in luogo - alfabeto - forma affermativa, negativa e interrogativa - *io, tu lei/lui*; *Lei* di cortesia - numeri 0-20 - presente indicativo di *essere, avere, stare, studiare, chiamarsi* - singolare e plurale, maschile e femminile di nomi e aggettivi in o/a e in e.	- gesti e movimenti fisici di saluto - nazioni e nazionalità straniere - parole inglesi in italiano - regioni italiane - tipi di strada in una città italiana

UNITÀ 1: INCONTRI

LEZIONE 1: COME TI CHIAMI?

Si tratta del primo contatto con l'italiano, condotto sugli atti comunicativi che effettivamente si realizzano nella realtà: presentarsi, salutare.

1-2

1. Ascolta e abbina le figure. (CD 1 TRACCIA 1)
Chiavi: 1 figura centrale in alto, 2 figura centrale in basso, 3 figura in basso a sinistra, 4 figura in alto a destra, 5 figura in alto a sinistra, 6 figura in basso a destra

2. Ascolta nuovamente e completa i dialoghi. (CD 1 TRACCIA 2)
Testo dei dialoghi, in cui si devono scrivere pochissime parole, di solito conosciute internazionalmente come "ciao"; al momento la cosa importante è che trascrivano i suoni, se ci sono errori – non avendo ancora conosciuto le regole ortografiche – non è un problema, si correggono alla lavagna:

1 - Ciao Sara, come stai?
 - Ciao Emilia. Bene e tu?
 - Hmmm, così così…

2 - Arrivederci, Professore.
 - Ciao.
 - Arrivederci.

3 - Ciao, Sabrina.
 - Ciao, Michele.

4 - Buongiorno, Professore.
 - Buongiorno.
 - Buongiorno, ragazzi, come va?
 - Bene, grazie e Lei come sta?
 - Oggi sto abbastanza bene, grazie.

5 - Buongiorno, Signora. Mi chiamo Giovanni Gatti.
 - Piacere. Sono Lidia Sanzo.
 - Piacere.

6 - Ciao, tu sei Sam, vero?
 - Sì, sono Sam. E tu come ti chiami?
 - Claudia. Piacere.

3. Controlla e poi pratica i dialoghi con un tuo compagno.
Le prime volte gli studenti tendono a ridacchiare, hanno paura di perdere la faccia, quindi è bene che le ripetizioni vengano effettuate a coppie, senza paura degli eventuali errori. Si può poi procedere a un ulteriore ascolto, e poi chiedere a varie coppie di recitare i singoli dialoghetti.

4. Tu o Lei? Completa la tabella.
Nella colonna a sinistra ci sono saluti e presentazioni formali, mentre in quella che devono completare ci sono quelli informali, i primi che devono imparare a usare autonomamente gli studenti.
Chiavi: Ciao. Ciao. Come stai? E tu? Piacere.

5, 6, 7, 8. Ascolta il dialogo... (CD 1 TRACCE 3 e 4)
È importante che l'insegnante risulti convincente nello spiegare la dinamica dello sviluppo dell'abilità di ascolto. Se si legge il testo del dialogo prima dell'ascolto o in maniera impropria, cioè non seguendo la scansione del testo, il percorso di sviluppo dell'abilità d'ascolto non risulta corretto.
Chiavi: 1 Scarpati, 2 Silvia, 3 Alex.

Riflessione sulla lingua

Come abbiamo detto nell'introduzione, la metodologia di questo corso vuole rendere attivi gli studenti nella scoperta delle regole grammaticali, in modo che queste non siano percepite come schemi astratti, calati dall'alto. Si concede quindi qualche minuto per completare lo schema e poi lo si corregge con la classe in modo che chi ha fatto errori riceva il *feedback* corretto senza "perdere la faccia".

Essere: sono, sei, è

Chiamarsi: mi chiamo, ti chiami, si chiama

9. Rispondi alle domande come nell'esempio.

Diamo due possibili tipi di risposta, più o meno completi:

1 No. Mi chiamo Pietro. 1 No, non mi chiamo Carlo. Mi chiamo Pietro.

2 No. Sono Cinzia. 2 No, non sono Franca. Sono Cinzia.

3 No. Si chiama Scarpati. 3 No, non si chiama Perna. Si chiama Scarpati.

4 Sì. 4 Sì, si chiama Sam.

10. Forma delle frasi.

Gli studenti adulti tendono a considerare infantile questa attività, quindi va spiegato che è fondamentale perché costringe il cervello a usare tutte le possibili strategie per comprendere quale possa essere la frase – strategie intuitive, inferenziali, memoria di quanto fatto prima, un inizio di ragionamento morfosintattico; inoltre, serve a introdurre la scrittura attraverso la sua forma più naturale, copiando parole – altra attività ritenuta infantile.

1 - Buongiorno, Signora. Mi chiamo Giovanni Gatti.
  - Piacere. Sono Lidia Sanzo.
2 - Buongiorno, ragazzi, come va?
  - Bene, grazie e Lei come sta, Professore?
  - Sto molto bene, grazie.
3 - Ciao. Tu sei Francesca?
  - No, non sono Francesca. Mi chiamo Clare Jones.

	stare
(io)	sto
(tu)	stai
(lui, lei)	sta

11. Completa i dialoghi.

1 - Ciao, Cristina.
  - Ciao, Elisabetta. Come stai?
  - Bene, grazie. E tu?
  - Così, così.

2 - Buongiorno Signora Sanzo. Come sta?
  - Bene grazie e Lei, Signor Gatti?

12. Scrivi le domande o le risposte come nell'esempio.

Chiavi:

2 - Lui è Alberto, vero?/Lui si chiama Alberto, vero? - No, è Antonio./No, si chiama Antonio.

3 - Sei Valeria, vero?/Ti chiami Valeria, vero? - No, sono Teresa./Mi chiamo Teresa.

4 - Lei è Manuela, vero/Lei si chiama Manuela, vero? - No, è Maria./No, si chiama Maria.

5 - Lui è Fabrizio, vero?/Lui si chiama Fabrizio, vero? - No, è Andrea./No, si chiama Andrea.

13. Scrivi il dialogo.

È l'attività conclusiva, fondamentale per fissare nella memoria quanto sentito e recitato finora. Può anche essere svolta a casa.

UNITÀ 1: INCONTRI

LEZIONE 2: A SCUOLA

1, 2, 3. Ascolto. (CD 1 TRACCE 5 e 6)

Lo scopo di questa attività è rafforzare la fraseologia e il lessico propri della scuola, che abbiamo usato induttivamente nella prima lezione. Occorre spiegare agli studenti che i "riquadri" sono quelli con fondino verde in cui ci sono delle frasi oppure delle regole grammaticali.

Chiavi:

H1   Scrivi le domande.
G2   Scrivi le risposte come nell'esempio.
F3   Completa i dialoghi.
E4   Forma delle frasi.
L5   Rispondi alle domande.
D6   Leggi il dialogo.
B7   Ascolta il dialogo.
I8   Completa la tabella.
C9   Con un compagno pratica i dialoghi.
A10   Abbina le figure alle parole.

4. Trova nelle frasi dell'attività 2 le parole.

I cruciverba sono usati spesso in questo manuale per la loro carica giocosa: lo studente non deve dimostrare qualcosa al professore ma a se stesso, come nei giochi enigmistici.

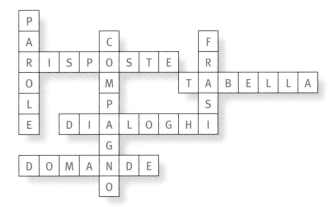

5. Abbina le figure alle parole.

Chiavi: 2 classe, 10 dizionario, 5 lavagna, 3 fotocopia, 1 banco, 9 matita, 11 gomma, 4 libro, 6 penna, 8 quaderno, 7 carta.

Fonologia

In questa sezione si vedono, di volta in volta, i fonemi dell'italiano. I problemi cambiano a seconda della lingua materna degli studenti, ma si tenta di presentare quelli che solitamente creano difficoltà. Spesso tale presentazione avviene mettendo a confronto due fonemi simili (sorde e sonore, suoni scempi e doppi, ecc).
Vengono utilizzati i simboli dell'alfabeto fonetico, che riproduciamo:

VOCALI		
/a/	/'mano/	**mano**
/e/	/'rete/	**rete**
/ɛ/	/'bɛllo/ /'bɛne/	**bello bene**
/i/	/i'dɛa/	**idea**
/o/	/'kome/	**come**
/ɔ/	/'ɔka/	**oca**
/u/	/'uno/	**uno**
/j/	/'piatto/ /'pjeno/	**piatto pieno**
/w/	/'kwadro/	**quadro**

CONSONANTI		
/p/	/'krɛpa/	**crepa**
/b/	/'banka/	**banca**
/t/	/'trɛno/	**treno**
/d/	/ka'dere/	**cadere**
/k/	/'parko/	**parco**
/g/	/'gatto/	**gatto**

CONSONANTI		
/tʃ/	/'mantʃa/	**mancia**
/dʒ/	/'adʒitare/	**agitare**
/f/	/'fresko/	**fresco**
/v/	/'vino/	**vino**
/s/	/'sɛmpre/	**sempre**
/z/	/fanta'zja/	**fantasia**
/ʃ/	/ʃ'arpa/	**sciarpa**
/ts/	/por'tsjone/	**porzione**
/dz/	/dzaba'jone/	**zabaione**
/l/	/'fatʃile/	**facile**
/ʎ/	/'darʎi/	**dargli**
/j/	/'radjo/	**radio**
/m/	/'mjo/	**mio**
/n/	/'sano/	**sano**
/ɲ/	/'ɲɔkko/	**gnocco**

6. Ascolta e ripeti le parole. (CD 1 TRACCIA 7)

1 ciao, 2 pronuncia, 3 arrivederci, 4 Cinzia, 5 dice, 6 piacere, 7 Francesca, 8 pratica, 9 Scarpati, 10 carta, 11 Carlo, 12 Franca, 13 Luca, 14 Catia, 15 come, 16 compagno, 17 Franco, 18 banco, 19 ascolta, 20 così così, 21 completa, 22 scuola.

7. Ascolta e ripeti. (CD 1 TRACCIA 8)

1 compagno, 2 ciao, 3 Catia, 4 arrivederci, 5 scuola, 6 piacere, 7 Luca, 8 così così.

8. Ora leggi le parole.

La lettura può essere prima corale, per coprire eventuali incertezze, e poi una parola per studente, magari chiamandone il nome a caso.

9. Completa la tabella con le parole che ascolti. (CD 1 TRACCIA 9)

/tʃ/	/k/
ciao, arrivederci, piacere	compagno, Catia, scuola, Luca, così così

VITA ITALIANA

In questa prima unità, il materiale linguistico è ancora troppo limitato per poter affrontare una "lettura" di civiltà, quindi ci si limita a far notare che spesso i gesti possono accompagnare o sostituire le parole – e come si sa, gli italiani usano molto la gestualità e la corporeità nella comunicazione.

APPROFONDIMENTO

Nelle unità successive questa pagina comprende esercizi di rinforzo, ma in questa prima occasione ci si limita a un ripasso lessicale che riguarda il mondo della classe.

Chiavi: ragazza, ragazzo, libro, banco, classe, gomma, lavagna, matita, penna, computer, carta, quaderno, professore, registratore.

UNITÀ 2: CONOSCERE LE PERSONE

LEZIONE 3: DI DOVE SEI?

1. Abbina le foto ai nomi.

In questa prima attività non si legge un testo in lingua italiana ma si leggono delle foto; ci sono solo 4 nomi, sotto, per cui la sfida da lanciare alla classe è, prima di tutto, "Chi resta fuori?". In modo che sentendo coralmente chi resta fuori, eventuali errori di alcuni possano essere corretti implicitamente; dopo questa prima domanda, si chiede invece a quali numeri corrispondono i nomi:

Chiavi: 2 Pedro García, 4 Astrid Johnson, 1 Ho Chen, 3 Anna Bontempo.

2, 3, 4, 5. Ascolto. (CD 1 TRACCE 10 e 11)

I dialoghi sono riprodotti nell'es. 3.

Nel secondo dialogo si può far notare che l'accento di Mónica è acuto perché in spagnolo si usa solo questo tipo di accento, mentre in italiano non va segnato l'accento e comunque sarebbe "ò", con l'accento grave. È un'informazione fondamentale se il corso viene usato con studenti ispanofoni.

Nell'attività 4 gli studenti sono chiamati a un controllo condiviso del lavoro svolto nella precedente. In questo modo, si comincia ad abituarli a una modalità di lavoro molto utilizzata nel manuale. In questa prima esperienza di controllo collaborativo della comprensione, non è richiesto un uso estensivo della lingua. È cioè evitabile l'uso della lingua madre comune agli alunni nel caso di una classe monolingue, o di una lingua comune diversa dall'italiano. Successivamente, quando le competenze linguistico-comunicative lo permetteranno, l'insegnante dovrà incoraggiare e monitorare l'uso dell'italiano durante queste attività. È importante capire che è in questo uso della lingua per ragionare sul lavoro svolto, ad esempio, che si realizzano momenti di vera comunicazione tra gli studenti.

Chiavi dell'es. 2: 1 inglese, 2 cileno, 3 italiana, 4 cinese, 5 Mónica Carraro, 6 Javier.

1

Pedro:	Ciao sono Pedro. Tu come ti chiami?
Astrid:	Astrid.
Pedro:	Scusa?
Astrid:	Mi chiamo Astrid.
Pedro:	Piacere, Astrid. Sei svedese?
Astrid:	No, sono inglese. E tu?
Pedro:	Sono cileno, di Santiago. Astrid, questo è Javier.
Astrid:	Ciao, Javier. E tu di dove sei?
Javier:	Anch'io sono cileno.
Astrid:	Studiate italiano in questa scuola?
Pedro:	Beh, sì… studiamo italiano, ma io studio all'università.

2

Signor Chen:	Buongiorno. Lei è la Signora Bontempo, vero?
Signora Bontempo:	Sì. E lei è il Signor Chen, immagino? Come sta?
Signor Chen:	Bene, grazie e lei?
Signora Bontempo:	Molto bene grazie. Signor Chen, questa è la mia assistente, Mónica Carraro.
Signor Chen:	Piacere, Signora Carraro.
Signora Carraro:	Piacere. Lei di dov'è, Signor Chen?
Signor Chen:	Sono cinese, naturalmente. Sono di Pechino. E voi di dove siete?
Signora Bontempo:	Io sono italiana, ma Mónica è argentina.

6. Con un compagno crea dei dialoghi come nell'esempio.

È un'attività molto controllata, visto il livello di competenze degli studenti. È tuttavia opportuno riflettere su quanta importanza va attribuita alla correttezza (della pronuncia e degli aspetti morfosintattici e lessicali). È necessario, cioè, fin da subito non far credere agli studenti che l'accuratezza sia sempre dominante, ci saranno attività in cui l'enfasi è posta sulla scorrevolezza (*fluency*) durante le quali l'insegnante non interromperà il processo comunicativo per correggere lo studente immediatamente.

Riflessione sulla lingua

Come sempre questa sezione è induttiva, si dichiara l'argomento e poi attraverso esercizi si arriva alla sistematizzazione. In questa lezione trattiamo il femminile degli aggettivi, il presente del verbo "essere" e "studiare", "anche" + pronome personale, le risposte affermative e negative.

7. Osserva le frasi e poi completa la tabella con le parole del riquadro.

Si può far notare le differenze tra gli aggettivi nelle quattro frasette iniziali e discutere con la classe un'ipotesi di regola, che poi viene confermata alla lavagna e consente di fare l'esercizio.

maschile	femminile	maschile e femminile
tedesco	*tedesca*	*cinese*
argentino	argentina	giapponese
marocchino	marocchina	inglese
italiano	italiana	svedese
cileno	cilena	
brasiliano	brasiliana	
spagnolo	spagnola	

8. Completa la tabella.

Essere: sono, sei, è, siamo, siete, sono
Studiare: studio, studi, studia, studiamo, studiate, studiano

9. Completa le frasi.

Chiavi: 1 Franz studia italiano. 2 Chen è di Pechino. 3 Paul, tu studi italiano? 4 Sami, di dov'è Hassan?

10. Metti le frasi dell'attività 9 al plurale.

Chiavi: 1 Franz e Karl studiano italiano. 2 Chen e Li sono di Pechino. 3 Paul e Sarah, voi studiate italiano? 4 Sami, di dove sono Hassan e Abdul?

Anche: (io) anch'io, (tu) anche tu, (lui) anche lui, (lei) anche lei, (noi) anche noi, (voi) anche voi, (loro) anche loro.

11. Rispondi come nell'esempio.

Chiavi: 2 Anche lei è argentina. 3 Anche lei è inglese. 4 Anch'io sono francese. 5 Anche loro sono di Berlino. 6 Anche noi siamo di Roma.

12. Ora rispondi in modo negativo come nell'esempio.

Chiavi: 2 Lei no. 3 Lei no. 4 Io no. 5 Loro no. 6 Noi no.

UNITÀ 2: CONOSCERE LE PERSONE

LEZIONE 4: TU O LEI?

1, 2, 3. Lettura (CD 1 TRACCIA 12)
L'attività di previsione sulla base del contesto è fondamentale, come abbiamo detto, e va svolta dove possibile anche se non è esplicitamente indicata negli esercizi come in questo caso.
Il primo esercizio riprende le nozioni grammaticali precedenti, il secondo serve da conferma. Il testo del dialogo è il seguente:

- Ciao Hans. Come stai?
- Ciao Tom, io sto bene e tu?
- Tutto bene.
- Tom, questo è Franz.

- Ciao Franz. Di dove sei?
- Sono tedesco. E tu?
- Io sono inglese. E questa è Sally.
- Ciao Sally, piacere, anche tu sei inglese?
- Sì, siamo di Londra.

4, 5, 6, 7. Scrivi il dialogo dell'attività 1 in modo formale come nell'esempio. (CD 1 TRACCIA 13)
Dopo aver introdotto nella maniera più semplice possibile, senza particolare enfasi, il fatto che "lei" può essere usato per una seconda persona (anche maschile) oltre che per la terza persona femminile, come hanno visto finora, si fa applicare e quindi acquisire induttivamente la regola.
In dipendenza del tipo di classe che si ha di fronte, delle motivazioni degli studenti e delle loro aspettative rispetto al corso di italiano e di quelle del cosiddetto "programma", è possibile semplicemente accennare che in italiano oggi si usa per la forma di cortesia plurale, dunque per il plurale della forma "lei", la seconda persona plurale "voi" e non "loro" che suona alquanto desueto. Ovviamente, in un paese come l'Italia queste scelte possono essere influenzate da usi locali e dialettali, ad esempio come nel caso dell'uso del "voi" al posto del "lei" nella forma di cortesia a Napoli e in altre zone del Sud. La nostra scelta in *Italiano: pronti, via!* rispecchia la volontà di rappresentare un uso medio consolidato della lingua italiana. Il tema in questione sarà ripreso più avanti nel libro.
Il testo del dialogo è il seguente:

- Buongiorno Signor Neudert. Come sta?
- Buongiorno Signor Sullivan. Io sto bene e lei?
- Tutto bene, grazie.
- Signor Sullivan, questo è Franz Klein.

- Piacere Signor Klein. Di dov'è?
- Sono tedesco. E lei?
- Io sono inglese. E questa è Sally Parker.
- Piacere Signora Parker, anche lei è inglese?
- Sì, siamo di Londra.

8, 9. Secondo te, di cosa parlano Hans e Sally? (CD 1 TRACCIA 14)
È un primo tentativo di conversazione abbastanza strutturata; nel secondo esercizio di questa coppia presentiamo uno dei possibili dialoghi:

- Hans: Allora Sally, tu sei di Londra.
- Sally: Sì e tu?
- Hans: Io sono di Berlino. Sally e poi? Com'è il tuo cognome?

- Sally: Parker.
- Hans: Io mi chiamo Neudert?
- Sally: Neudert? Scusa, come si scrive?
- Hans: N-E-U-D-E-R-T.

10, 11. Ascolta e ripeti le lettere dell'alfabeto. (CD 1 TRACCE 15 E 16)
Sono state separate le lettere dell'alfabeto tradizionale italiano da quelle di altri alfabeti, che comunque sono ampiamente usate anche in italiano.

12, 13. Ascolta e rispondi alle domande. (CD 1 TRACCIA 17)

Chiavi: 1 Sally Parker, 2 Hans Neudert, 3 Tom Sullivan, 4 ....

La quarta domanda lascia gli studenti sorpresi, quindi, spento il registratore, l'insegnante può cominciare a chiedere a due o tre studenti come si scrive il loro cognome e poi far sì che tutti vadano in giro per la classe, per qualche minuto, a porre la stessa domanda ai compagni.

Fonologia

14. Ascolta e ripeti. (CD 1 TRACCIA 18)

Chiavi: 1 buongiorno, 2 dialogo, 3 giapponese, 4 ragazza, 5 regola.

16. Completa la tabella con le parole che ascolti. (CD 1 TRACCIA 19)

/dʒ/	/g/
buongiorno, giapponese, leggete	dialogo, ragazza, regola

VITA ITALIANA

Viene introdotto qui un tema su cui si ritornerà molte volte nei percorsi seguenti: la differenziazione regionale italiana, che è sorprendente (e spesso difficilmente concepibile) per studenti stranieri. L'insegnante che lavora con una classe omogenea linguisticamente o con studenti che condividono l'inglese o un'altra lingua franca può dilungarsi un po' a parlare dell'estrema differenziazione storica e paesaggistica del nostro paese, ma anche intervenire in ordine alle condizioni socio-economiche e ai dialetti. In tal modo compaiono già, sebbene dette nella lingua materna degli studenti o con una lingua terza, i nomi delle regioni e forse alcuni aggettivi regionali.

Questi ultimi vengono scoperti eseguendo i due cruciverba.

Quella che proponiamo non è un'attività mirata alla memorizzazione di termini che solo parzialmente possono risultare significativi, ma un inizio di viaggio alla scoperta della lingua e della cultura italiana. Sul piano metacognitivo quest'attività risulta utile per consolidare la consapevolezza degli studenti riguardo alla derivazione degli aggettivi di provenienza in italiano che avrà un ulteriore momento di rinforzo nell'attività 2 di pag. 23.

APPROFONDIMENTO

L'operazione svolta sugli aggettivi regionali viene ripetuta sul piano delle nazionalità. Gli aggettivi dell'es. 2 si creano automaticamente sostituendo la desinenza in rosso a quella dello stato, il cruciverba invece ha questa soluzione:

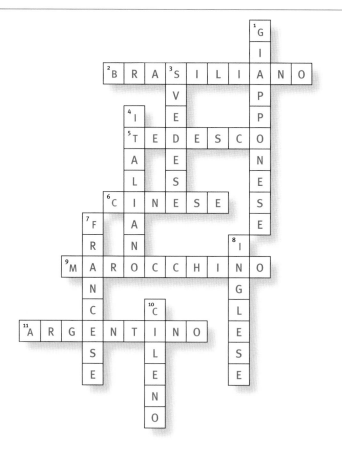

UNITÀ 3: INFORMAZIONI PERSONALI

LEZIONE 5: AL TELEFONO

1, 2. Chi sono i due ragazzi?

In questa unità, l'attività di previsione non è solo basata sulla memoria ma coinvolge anche la capacità di prendere appunti scritti su quel che si può prevedere guardando le immagini.

I due ragazzi sono Astrid e Pedro, che sono stati già presentati a pag. 16. In una classe formata da un gruppo abbastanza numeroso di persone è probabile che vi siano individui portati all'osservazione di dettagli quali ad esempio l'abbigliamento che permette di ricordare quanto già visto. Consigliamo di sottolineare con la classe l'importanza di far leva su possibilità della nostra memoria che non siano unicamente quelle della memoria verbale come strumento efficace per la promozione dell'apprendimento. Su questo punto, in maniera spesse volte implicita, torniamo in questo libro. Questa riflessione può essere allargata a una considerazione sul ruolo didattico delle immagini in questo testo: le immagini risultano di fondamentale importanza, come già sottolineato, nella trasmissione di significati comunicativi e per l'attivazione di specifici processi cognitivi come in questo caso. Questo deve incoraggiare lo studente a dare la giusta rilevanza a elementi non verbali nella comunicazione e nei processi di apprendimento anche di una lingua.

3, 4, 5. Ascolto. (CD 1 TRACCE 20 E 21)

Dire agli studenti di non cedere alla tentazione di leggere il dialogo, riprodotto all'es. 4; eventualmente farlo coprire con un quaderno o un foglio.

Chiavi: 1 falso, 2 falso, 3 vero, 4 vero.

6, 7. I numeri. (CD 1 TRACCE 22 E 23)
Chiavi: 1 uno, 3 tre, 5 cinque, 6 sei, 9 nove, 10 dieci, 12 dodici, 13 tredici, 15 quindici, 16 sedici, 20 venti.

8. Quali numeri senti? (CD 1 TRACCIA 24)
Chiavi: 4, 7, 8, 11, 14, 17, 19, 20.

9, 10. L'età.
La grafica è quella delle *chat*, genere comunicativo abbastanza comune per i giovani, che lo riconoscono facilmente. Lo scopo delle attività è imparare a chiedere e dire l'età. L'attività è un po' particolare sul piano didattico e anche su quello testuale: non tanto per l'uso della *chat*, quanto per il fatto che l'esercizio inizia quando lo scambio tra Astrid e il suo interlocutore della *chat* è già cominciato. Sul piano didattico, poi, si invita lo studente semplicemente a leggere il testo senza apparentemente avere altro compito didattico. In realtà, deve essere l'insegnante a guidare l'attività direttamente verso l'analisi degli elementi da sottolineare: cioè come si chiede e come si dice l'età. In questo modo, si dà per scontato che la comprensione degli altri elementi risulti relativamente semplice, essendo basata su elementi linguistici già incontrati. In pratica, l'insegnante inviterà, ad esempio, la classe a sottolineare nel testo la domanda e la risposta riguardante l'età. Occorre far notare, anche in virtù delle differenze a volte sostanziali nel modo di chiedere e dire l'età nelle diverse lingue, che il verbo usato è *avere*, lo stesso che si è incontrato nel dialogo di pag. 24 e che sarà oggetto di riflessione a pag. 26. Il riquadro verde sotto permette di sistematizzare i diversi gradi di probabilità "sì", "no", "forse" o la mancanza di conoscenza "non lo so".

Riflessione sulla lingua
In questa lezione gli studenti devono scoprire le regole del numero e genere, che abbiamo anticipato nella lezione precedente relativamente agli aggettivi, estendendole ai sostantivi. Inoltre, completano il presente dell'ausiliare "avere".

11. Completa le tabelle.
Chiavi:
Singolare: cileno, ragazza
Plurale: ragazzi cileni, argentine

12. Completa le frasi.
Chiavi:
1 Pedro è un ragazzo cileno.
2 Hans è tedesco.
3 La Sig.ra Bontempo è italiana.
4 Il Sig. Chen è cinese.
5 *Volare* è una canzone italiana.

13. Metti le frasi dell'attività 12 al plurale.
Chiavi:
1 Pedro e Javier sono due ragazzi cileni.
2 Hans e Franz sono tedeschi.
3 La Sig.ra Bontempo e Cinzia sono italiane.
4 Il Sig. Chen e Li sono cinesi.
5 *Volare* e *O sole mio* sono due canzoni italiane.

14. Completa le parole.
Chiavi:
1 Pedro abita con due studenti tedeschi.
2 Astrid ha una nuova casa.
3 Pedro è un ragazzo simpatico.
4 Astrid e Sally sono due ragazze carine.

15. Completa la tabella.
Chiavi: ho, hai, ha, abbiamo, avete, hanno.

16. Completa le frasi.
Chiavi:

1 Cinzia e io abbiamo un dizionario.

2 Claudia ha un libro.

3 Alexandre e Deisi hanno due penne.

4 Tu e Martina avete tre gomme.

5 Io ho due quaderni.

6 Tu hai due matite.

17. Completa le domande.
Chiavi:

1 Come ti chiami?

2 Come si scrive il cognome?

3 Di dove sei? Ah, non sei giapponese?

4 Qual è il tuo numero di telefono?

5 Quanti anni hai?

6 Dove abiti?

7 Perché sei in Italia?

18. Ora fa' le domande ai tuoi compagni.
È un'attività che permette di sintetizzare i numerosi elementi incontrati. Se se ne ha il tempo, è utile consentire agli studenti di ripetere le domande a diversi compagni invitandoli (e controllandoli) al fine di non lasciare leggere le domande ma di condurre gli studenti a una produzione libera. Alla fine è utile proporre un momento di sintesi in plenaria. Per rendere l'attività interessante, si potrebbe chiedere ad alcuni studenti di riportare alla classe un'informazione ricavata dalle interviste ai compagni che li ha sorpresi e di condividere la sorpresa con gli altri.

UNITÀ 3: INFORMAZIONI PERSONALI

LEZIONE 6: UNO O TANTI?

1, 2, 3, 4. Ascolto. (CD 1 TRACCIA 25)
Le risposte alla prima attività sono ovviamente flessibili, in quanto essa serve solo per provocare un primo scambio tra compagni.

I dialoghi sono due; il primo non viene trascritto per gli studenti, mentre il secondo viene trascritto in ordine casuale per essere risistemato, nell'es. 3.

Dialogo 1

Professore:	Buongiorno, come ti chiami?
Ragazzo:	Buongiorno. Ivan Horvat.
Professore:	Ecco il test. 8 su 10. È un voto molto buono. Sei nel corso avanzato.
Professore:	Allora, Ivan, quanti anni hai?
Ragazzo:	19.
Professore:	Di dove sei?
Ragazzo:	Sono croato.
Professore:	Dove abiti?
Ragazzo:	In Italia o in Croazia?
Professore:	In Italia.
Ragazzo:	Abito a Padova in Via Galileo Galilei 5.
Professore:	Qual è il tuo numero di telefono?
Ragazzo:	3 4 7 5 7 3 1 2 2 2.
Professore:	Scusa come si scrive il cognome?
Ragazzo:	H O R V A T
Professore:	Molto bene. Grazie.
Ragazzo:	Arrivederci.
Professore:	Ciao.

Dialogo 2

Professore:	Buongiorno, come ti chiami?
Ragazza:	Buongiorno. Claudia de Melo.
Professore:	Ecco il test. 7 su 10. È un voto buono.
	Sei nel corso intermedio.
Professore:	Allora, Claudia, quanti anni hai?
Ragazza:	20.
Professore:	Di dove sei?
Ragazza:	Sono venezuelana.
Professore:	Dove abiti?
Ragazza:	In Italia o in Venezuela?
Professore:	In Italia.
Ragazza:	Abito a Venezia in Calle Priuli 13.
Professore:	Qual è il tuo numero di telefono?
Ragazza:	3 2 9 0 5 3 2 4 8 8.
Professore:	Scusa come si scrive il cognome?
Ragazzo:	D E M E L O
Professore:	Molto bene. Grazie.
Ragazza:	Arrivederci.
Professore:	Ciao.

5. Guarda le informazioni sugli altri due ragazzi...

Per l'attività 5, a completamento e in applicazione di quanto appreso o in via di apprendimento attraverso le precedenti attività di ascolto, si può poi chiedere ad alcune coppie di recitare il loro dialogo per tutta la classe.

6. Completa la frase e la tabella.

Abito in Italia, a Roma, in Via Cagliari 1

Paese	in
Città	a
via/piazza	in

7. Ora conosci molte parole italiane.

Questa attività non solo ripassa i verbi ma anche la metalingua specifica della classe.

Chiavi:

1 Guarda la foto.
2 Indica se le frasi sono vere o false.
3 Controlla le risposte.
4 Ripeti i numeri.
5 Chiedi ai tuoi compagni quanti anni hanno.
6 Metti le frasi dell'attività 12 al plurale.
7 Fa' le domande.
8 Metti in ordine il dialogo.
9 Crea dei dialoghi.
10 Trova le differenze.

8, 9. Quali parole italiane usi nella tua lingua?

Tutte queste attività che rimandano alla lingua madre dello studente non hanno come scopo la traduzione di parole, natu-ralmente, ma solo il fissare continuamente un raccordo tra il sistema linguistico già esistente nella mente dello studente e quello italiano, in via di acquisizione. Inoltre esse permettono di aumentare la consapevolezza circa il sistema linguistico e gli aspetti culturali della lingua di origine. Alla base sta la nostra convinzione che l'apprendimento della L2 agisce come volano per la promozione di una migliore competenza anche nella L1. I due (o più) sistemi si differenziano solo a livello superficiale, ma sotto la superficie sono tanti gli elementi comuni. Apprendere e rafforzare la L2 porta beneficio alla L1 (e alle altre L2 conosciute) e viceversa.

10, 11. In italiano usiamo molte parole straniere.

Si può far notare come alcune parole straniere siano entrate effettivamente in italiano perché non c'era un corrisponden-te, anche se molte volte gli italiani esagerano nell'inserire termini inglesi dove non sono necessari, spesso pronuncian-doli con vistosi errori che fanno fare brutta figura. Si può anche fare un paragone con quanto succede nel paese degli studenti.

L'attività 11 potrebbe sembrare un po' strana, ma in realtà si fonda sugli stessi presupposti della 8 e della 9: se gli studenti si rendono consapevoli del fatto che ci sono degli ambiti specifici in cui le parole italiane sono entrate nella loro lingua (musica, arte, cibo, ad esempio) possono di conseguenza attraverso il confronto con la propria L1, arrivare a ipo-tizzare alcuni termini inglesi utilizzati in italiano perché espressione del mondo globalizzato di oggi.

Fonologia

12. Ascolta e ripeti le parole. (CD 1 TRACCIA 26)
Le parole sono: che, dialoghi, anche, chi, marocchino, perché, chiama, chiedi, tedeschi, maschile, Inghilterra.

14. Completa la tabella con le parole che ascolti. (CD 1 TRACCIA 27)

/k/	/g/
tedeschi, maschile, anche, perché, chiamare	dialoghi, Inghilterra

VITA ITALIANA

Il contenuto linguistico di questa sezione è ancora limitato, quindi le foto possono essere usate per far notare altri dettagli della città italiana.

APPROFONDIMENTI

1. Chi stai chiamando?
Chiavi: 113, 118, 115, ++39

2. Scrivi questi numeri.
Chiavi: 17, 16, 12, 11, 7, 4, 20, 10, 14, 15, 13, 19

3. Scrivi questi numeri di telefono.
Chiavi:
- tre tre cinque quattro sei sette uno zero nove otto
- zero quattro uno tre cinque sei quattro setto otto nove
- tre quattro sette quattro otto nove due cinque quattro sei
- zero sei quattro sei sette sette tre otto nove

4. Completa le domande.
Chiavi: chiami, nome/cognome, sei, telefono, hai, abiti, Italia.

5. Completa le domande.
Chiavi: quanti, qual, di dove, dove, come.

AUTOVALUTAZIONE DEL PERCORSO 1

1. Lessico: scrivi il nome di questi oggetti.

Chiavi: matita, gomma, libro, penna, quaderno, professore, casa, telefono, valigia, studenti, stazione, cellulare

2. Salutare.
Chiavi: Ciao. Ciao. Come stai? E tu? Piacere.

3. Rispondi affermativamente o negativamente, come nell'esempio.
Le risposte sono personali.

4. Le nazionalità.
Chiavi: 1 giapponese, 2 marocchino, 3 argentina, 4 cilena, 5 venezuelani, 6 tedesco/a, 7 italiano/a, 8 svedese, 9 cinese, 10 brasiliano/a.

5. L'alfabeto. Scrivi queste lettere:
Chiavi: M, G, H, C, D, N, L, Z, F, Q, X, K, T, S, R.

6. Il presente indicativo dei verbi. Completa la tabella.
Chiavi:
Sono, sei, è, siamo, siete, sono.
Ho, hai, ha, abbiamo, avete, hanno.
Studio, studi, studia, studiamo, studiate, studiano.
Parlo, parli, parla, parliamo, parlate, parlano.

7. Il femminile. Completa le frasi.
Chiavi:
1 Clara è una ragazza cilena.
2 Petra è tedesca.
3 "Imagine" è una canzone inglese.
4 La signora Cheng è cinese.
5 Lei è argentina, viene da Buenos Aires.

8. Il plurale. Completa le frasi.
Chiavi:
1 Pedro e Jorge sono ragazzi cileni.
2 Peter e Hans sono tedeschi.
3 "Imagine" e "Girl" sono canzoni inglesi.
4 Wang e Cheng sono cinesi.
5 Loro sono argentini.

9. Completa le domande.
Chiavi:
1 come
2 come
3 di dove
4 qual
5 quanti
6 dove
7 da quanti
8 dove
9 qual
10 dov'è

PERCORSO 2

Questo secondo percorso rappresenta un notevole passo in avanti rispetto al primo: là si sono date le basi minimali (numero, genere, i due ausiliari, il numero, gli atti comunicativi relativi alla sfera personale e poco altro), qui invece si costruisce una più ampia dimensione interpersonale e si presentano i verbi base: dopo questo percorso quindi gli studenti avranno acquisito una maggiore autonomia sempre all'interno del sistema di riferimento del *Quadro comune europeo* relativamente al livello A1.

Percorso 2			
Percorso 2 Unità 4 *Persone e parole che viaggiano* Unità 5 *Lavorare in Italia* Unità 6 *A casa e al bar*	- chiedere e dire dove è un luogo e cosa c'è - chiedere e esprimere, il possesso, il permesso, la possibilità e la capacità - chiedere quando si svolgerà qualcosa - confermare/disconfermare - esprimere un'opinione personale, essere d'accordo - parlare del lavoro che si fa - telefonare Approfondimenti e ripasso: - chiedere e dare dati personali; compilare moduli - presentare/si formalmente	- articoli determinativi e indeterminativi - *c'è, ci sono* - possessivi singolari (anche con nomi di famiglia) - numeri fino a 100 - ordine della frase - preposizioni: alcuni usi di *per* e *di* - principali pronomi interrogativi - pronome *voi* di cortesia - verbi: le tre coniugazioni; presente di *andare, fare, potere, vorrei, sapere* + infinito	- famiglia, parentele - ferrovie e stazioni - lavori e mestieri - principali servizi pubblici - storia della presenza italiana nel Mediterraneo

UNITÀ 4: PERSONE E PAROLE CHE VIAGGIANO

LEZIONE 7: IN STAZIONE

1, 2, 3. Con un compagno guarda il dépliant...

Questi primi esercizi partono da uno stimolo visivo, anziché da un dialogo e rimandano molto all'esperienza degli studenti, che ricostruiscono mentalmente l'ambiente della stazione.

Il primo esercizio li stimola a creare delle farsi usando gli articoli indeterminativi al maschile e al femminile; l'es. 2 spinge alla riflessione grammaticale e l'es. 3 riprende l'1 ma lo fa rieseguire allo scritto.

Per molti studenti, il meccanismo di funzionamento del *c'è*/*ci sono* risulta facilmente acquisibile, tuttavia in alcuni casi, come quello dei lusofoni, questa struttura risulta problematica. In questo percorso si torna sul punto, ma sarà l'insegnante a giudicare l'eventuale necessità di approfondire il tema. È un caso di lampante necessità di trovare modalità coerenti di interazione tra il manuale, che nasce avendo in mente un pubblico vasto, e i bisogni di singoli gruppi linguistici o di singole classi e individui.

Foto di stazione

La foto ritrae la navata centrale della stazione di Milano, costruita in stile orientaleggiante a fine Ottocento. Altre due foto sono a pag. 42.

Volendo, gli studenti possono essere invitati ad andare on line a cercare foto della facciata e degli affreschi, recentemente restaurati, per poi paragonare questa stazione monumentale alle stazioni moderne cui sono, probabilmente, più abituati.

4, 5. Ascolto. (CD 1 TRACCIA 28)

Gli studenti scelgono tra le coppie di parole e il risultato deve essere questo:

- Ciao, Paolo.
- Ciao, Erica, dove vai?
- A Pisa e tu?
- Io a Bologna.
- Quando parte il tuo treno?
- Fra 20 minuti.
- Hai già il biglietto?

- No. E tu?
- Neanch'io. Dov'è la biglietteria?
- È là. Non c'è molta gente.
- Bene, così abbiamo tempo per prendere un caffè e parlare un po'.
- Dai, andiamo a bere qualcosa.

L'uso della preposizione *fra* per indicare la quantità di tempo che separa il presente da un momento futuro è introdotto qui attraverso un riquadro a pag. 37. Non c'è, crediamo, molto da dire su questo punto. È probabilmente sufficiente far notare in che modo la stessa funzione viene svolta nella lingua di origine degli studenti. Questo approccio può risultare particolarmente produttivo nel caso di classi monolingui.

6, 7, 8. Lettura.

Si tratta di tre messaggini in successione.

Il primo messaggio è: Nadia, sono in stazione. Il treno parte fra 20 minuti. C'è anche Paolo. Dove sei? Noi andiamo al Bar Cecco a prendere un caffè.

Il secondo non ha un'unica risposta, ne forniamo una a titolo d'esempio: Erica, sei già in stazione? Io sono in pizzeria. Finisco la pizza e arrivo fra 5 minuti. Ma chi è Paolo? E lui quando parte?

La risposta dell'es. 8 è flessibile, e può dare spunti per confrontare le scelte.

9. Metti l'articolo indeterminativo.

Chiavi:

un'attività, un banco, una classe, un esempio, una lezione, un libro, una lingua, una risposta, una scuola, un'idea, una canzone, uno studente, un indirizzo, un numero, una piazza, uno sport, un'università, una valigia

10. Guarda nuovamente il dépliant...
Lo scopo è quello di fare scrivere di nuovo delle frasi in modo che venga notato l'articolo.

11. Completa le frasi con i verbi del riquadro.
Chiavi:
1 In classe parliamo spesso di sport.
2 Enrique e José non pronunciano molto bene la V in italiano.
3 Buongiorno, ragazzi. Come state?
4 Oggi in classe ci sono due studenti nuovi.
5 Paolo, il treno parte fra cinque minuti e noi non abbiamo il biglietto.
6 Luca, andiamo al bar a prendere un caffè?
7 Luc e Sandra partono per la Francia.
8 Ma guarda: Giulia e Virginia! Ciao, dove andate?

12. Completa il testo.
Ciao
Mi chiamo Rose, ho 20 anni e sono australiana. Ma non vivo in Australia. La mia famiglia abita a Melbourne, ma io no: studio italiano a Siena.
Che bello! Una lista di discussione per studenti di italiano! Io scrivo molto. Scrivere è bellissimo! Chi risponde al mio messaggio?

UNITÀ 4: PERSONE E PAROLE CHE VIAGGIANO

LEZIONE 8: COMUNICARE NEL XXI SECOLO

1, 2. Cosa usi per comunicare? ... Che cosa sono?...
Questi due esercizi servono a fissare lessico e immagine. In questo modo, inoltre, si creano le condizioni per presentare il testo di pag. 40. Il tema era già stato introdotto in chiusura di lezione alla pag. 38 con l'esercizio 12.
Chiavi: 1 cellulare, 2 telefono fisso, 3 sms, 4 e-mail, 5 lettera, 6 mms.

3. Leggi il testo e rispondi alle domande.
Si tratta di un sito Internet, un tipo di testo, cioè, a cui gli studenti sono abituati e quindi sanno come cercare informazioni.
Quelle da trovare sono:
Chiavi:
1 Un sito per trovare amici, scrivere e parlare in italiano,
2 nel sito www.guerraedizioni.com,
3 italiano,
4 compilare il modulo on-line.

4, 5. Ora compila il modulo con i tuoi dati e quelli di un compagno.
Vengono riprese le informazioni personali apprese nel Percorso 1, e poi, nel secondo esercizio di questa coppia, vengono spostate alla seconda persona, visto che ogni studente deve chiederle a un compagno.

6. Completa le frasi.
È il tipico esercizio grammaticale induttivo; i due verbi da inserire sono "trovare" e "andare".

7. Completa le frasi con *in, a, per, fra, di*.
Chiavi: 1 per, 2 a, 3 in, 4 a, a, 5 in, in, 6 di, 7 per, fra, 8 di, 9 in.

8. Guarda le immagini poi rispondi alla domanda del tuo compagno.
Come detto sopra, in italiano si usa "avere" laddove molte lingue, tra cui l'inglese, usano "essere" o altre strutture. Si possono esercitare più volte su questo tema.

Fonologia

9, 10, 11. Ascolta le frasi e indica l'accento. (CD 1 TRACCE 29 E 30)
L'accento dei verbi al presente indicativo può presentare un problema, quindi lo fissiamo con questi tre esercizi.
Chiavi dell'esercizio 9: 1 arrivano, 2 parte, 3 finite, 4 prendono, 5 abbiamo

VITA ITALIANA

Si possono fare commenti sul fatto che nell'Ottocento proprio Napoli, ancora oggi città con molti problemi, fosse invece all'avanguardia tecnologica e nella politica dei trasporti; in questo senso tutta l'Italia è rimasta indietro rispetto all'Europa centro-settentrionale, in quanto ha privilegiato per 50 anni il trasporto su gomma, costruendo autostrade piuttosto che ferrovie, quindi i treni ad alta velocità hanno cominciato a funzionare solo da poco tempo.

APPROFONDIMENTI

1. Collega le frasi a *c'è* oppure *ci sono*.
Chiavi:

1 C'è l'ufficio postale?
2 Laggiù ci sono i treni.
3 Nel computer c'è un virus!
4 Guarda, c'è Paolo!
5 Cosa c'è in questo sito?
6 Ci sono dei problemi con gli accenti?
7 C'è un fiorista?
8 Scusi, c'è un telefono qui vicino?
9 Ci sono dei nuovi messaggi SMS.
10 Ci sono dei messaggi?
11 Ci sono informazioni per studenti.
12 Su "è" c'è l'accento.

2. Inserisci *un, una, un'*.
Chiavi:

1 C'è un messaggio di Carlo, scrive che c'è un treno tra 20 minuti!
2 C'è un indirizzo sul quaderno di Pedro, deve essere di una sua amica.
3 Luis è uno studente spagnolo; lui è sempre con una ragazza inglese molto bella.
4 Questo esercizio è un'attività per imparare gli articoli.
5 "Uno" è un articolo indeterminativo.

3. Inserisci il verbo tra parentesi.
Chiavi:

1 Arrivo stasera alle 10.30. E tu a che ora arrivi?
2 Luigi, prendiamo il treno domattina, tu, io e Juanita?
3 A che ora finiscono le lezioni stasera? Io finisco alle 5!
4 Se parto (*vanno bene tutte le forme*) presto, arrivo (*deve essere la stessa persona scelta per il verbo "partire"*) in tempo per la festa!
5 Quando finiscono il corso di italiano, le ragazze vanno subito a casa!

4. Quale manca?

Chiavi: manca *va*.

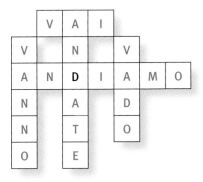

5. Completa le frasi con *in, a, per, fra, di.*

Chiavi: 1 a, 2 per, fra, 3 per, 4 in, in, 5 di, a, a, 6 a, a, per, 7 di, di, 8 di, a.

UNITÀ 5: LAVORARE IN ITALIA

LEZIONE 9: CERCO LAVORO

---

1. Secondo te, perché Sergio ha questo indirizzo di un sito Internet? Parla con un compagno.

Gli studenti devono intuire che un sito che si chiama "Studiare e lavorare" può interessare solo a uno studente che ha bisogno di guadagnare qualcosa.

2, 3, 4, 5, 6, 7, 8. Ascolto. (CD 1 TRACCE 31, 32 E 33)

Il testo è nella colonna a destra, ma gli studenti devono evitare di barare, guardandolo mentre ascoltano…

Le chiavi dell'es. 2 sono: 1 vero, 2 falso, 3 vero, 4 falso.

Le chiavi dell'es. 3 sono: 1 No. Dice che vorrebbe un lavoro part-time. 2 No. Dice che studia Economia all'Università di Córdoba. 3 Sì. Hanno un lavoro in una pizzeria per tre giorni alla settimana, di sera. 4 Sì. Può compilare il curriculum sul sito www.studiare&lavorare.si.it.

La parola richiesta nell'es. 6 è "prego" e si trova nel dialogo alla penultima riga.

Il curriculum di Sergio è il seguente:

Nome e cognome: Sergio Diaz

Età: 22

Nazionalità: argentino

Indirizzo: via Cecco Angiolieri 35, Siena

Telefono: 329 43 43 396

Titolo di studio: è ancora studente

Lingue straniere: spagnolo, inglese, italiano

Esperienza: cameriere

Altre informazioni: resta in Italia circa sei mesi

Foto di Piazza del Campo a Siena

La foto mostra la Torre del Mangia, caratteristica di Piazza del Campo, che si vede anche in una foto a pag. 30. È la piazza dove si corre il Palio di Siena. Ha una forma a conchiglia e la torre si trova nella parte bassa.

9, 10. Immagina di essere a Siena per un anno per studiare l'italiano.

Si riutilizzano gli atti e le espressioni usate nella prima parte della lezione a proposito dello studente argentino, personalizzando i dati. È anche un'occasione per esercitare le abilità di lettura e di parlato.

Riflessione sulla lingua

Vengono introdotti i presenti indicativi di tre verbi fondamentali, *fare, sapere* e *potere*. La forma condizionale di *volere* non va per ora spiegata grammaticalmente, ma solo come espressione di richiesta cortese.

Nella sezione "scopri la regola!" si focalizza una coppia di verbi, *sapere / conoscere*, che spesso in altre lingue viene costruita in maniera diversa; in italiano *sapere* può essere seguito da nomi o da verbi all'infinito, mentre *conoscere* può essere seguito solo da sostantivi.

Un'ultima possibile interferenza che viene focalizzata qui riguarda l'uso della preposizione *per* per indicare la durata, che in altre lingue viene, invece, indicata con preposizioni differenti.

11. Completa le frasi con *fare, sapere* o *dovere*.

Chiavi: 1 posso, 2 sa, 3 sai, 4 facciamo, 5 fai, 6 possiamo, 7 fai, 8 potete.

12. Prova a chiedere qualcosa gentilmente.

Chiavi: 1 Vorrei un caffè per favore. 2 Vorrei una pizza per favore. 3 Vorrei fare un corso di italiano. 4 Vorrei un biglietto per Milano.

13. Metti in ordine le frasi.

Chiavi:

1 Durante le vacanze andiamo in Italia per due mesi.

2 Sam fa un corso di italiano per sei mesi.

3 La scuola di lingue *Speak now* cerca un insegnante di inglese per otto mesi.

UNITÀ 5: LAVORARE IN ITALIA

LEZIONE 10: I MESTIERI

---

1. Guarda le foto e scrivi il nome dei lavori.

È improbabile che gli studenti conoscano tutti questi mestieri, ma qualcuno forse lo conoscono e quindi se ne approfitta per mettere in comune le conoscenze.

Foto: un medico, un programmatore, una commessa in un negozio d'abbigliamento, un fruttivendolo, una giornalista, un'impiegata in un ufficio. Sotto le foto ci sono dei tratteggi per inserire la definizione.

2. Ascolta le conversazioni al telefono. Chi parla? (CD 1 TRACCIA 34)

Parlano: 1 fruttivendolo, 2 impiegata, 3 medico.

Dialogo 1

- Pronto?
- Pronto, Signor Gustavo?
- Sì, sono io.
- Sono la Signora Santi.
- Buongiorno, Signora.

- Posso ordinare un po' di frutta e verdura? Passo oggi pomeriggio quando torno dall'ufficio.
- Certamente.
- Allora vorrei due chili di arance, cinque mele rosse e sette o otto pomodori maturi.
- Benissimo. Nient'altro?

Dialogo 2
- Pronto, SGV System.
- Pronto. Sono Ferri della Nordint.
- Buongiorno. Posso esserle utile?
- Sì, vorrei parlare con il direttore per favore.
- Cosa c'è? È un problema che posso risolvere io?
- Guardi, aspetto da due mesi i vostri prodotti, ma...

Dialogo 3
- Pronto?
- Pronto, sono Fausto Perretta.
- Cosa c'è Fausto? Ha qualche problema?
- Dottoressa, da ieri ho la febbre a 40 e non sto bene, anzi sto proprio male.
- Ha altri sintomi?
- Sì, raffreddore, mal di testa, tosse.
- Guardi, ci sono diversi virus in questo periodo. Comunque vengo a casa sua questo pomeriggio e vediamo…

3. Abbina i disegni ai lavori.
Chiavi: 1 infermiera, 2 meccanico, 3 macellaio, 4 taxista, 5 insegnante, 6 casalinga, 7 parrucchiera, 8 idraulico, 9 poliziotto, 10 contadino.

4. Dove lavorano queste persone?
L'esercizio ha lo scopo di rinforzare indirettamente anche il pronome interrogativo *chi*.
Chiavi: 1 il medico, l'infermiera, 2 il fruttivendolo, la commessa, la parrucchiera, il macellaio, 3 l'insegnante, 4 il poliziotto, il taxista, il giornalista, 5 il programmatore, l'impiegato, 6 il contadino.

5. Nell'attività 4 mancano tre lavori. Quali?
Lo scopo è anche quello di focalizzare tre articoli determinativi.
Chiavi: il meccanico, la casalinga, l'idraulico.

6. Metti *il, lo, la, l'*.
Chiavi:
l'accento, l'amico, la banca, il bar, la biglietteria, il biglietto, il caffè, l'età, l'indirizzo, la profumeria, il treno, l'ufficio postale, l'anno, l'attività, il cognome, la canzone, il compagno, il corso, il dizionario, la domanda, l'esempio, la piazza, il plurale, lo sport, lo studente, l'università, l'idea, l'immagine, la lettera, la persona, il professore

7, 8. Completa la tabella, poi ascolta e controlla i numeri. (CD 1 TRACCE 35 E 36)
Chiavi:

21	ventuno	28	ventotto	49	quarantanove	70	settanta
22	ventidue	29	ventinove	50	cinquanta	73	settantatré
23	ventitré	30	trenta	54	cinquantaquattro	77	settantasette
24	ventiquattro	31	trentuno	57	cinquantasette	80	ottanta
25	venticinque	32	trentadue	60	sessanta	82	ottantadue
26	ventisei	40	quaranta	61	sessantuno	90	novanta
27	ventisette	43	quarantatré	65	sessantacinque	100	cento

9, 10. Ascolta i messaggi nella segreteria telefonica. Che lavoro fa la SGDT? (CD 1 TRACCE 37 E 38)
Si tratta di una attività di comprensione orale, dedicata al mondo delle professioni e focalizzata anche sui numeri, ma l'insegnante può anche far notare come sono strutturati i messaggi di una segreteria.
Trascrizioni:

1 Risponde la SGDT. Potete lasciare un messaggio e il vostro numero di telefono dopo il segnale. Grazie.
   Buongiorno sono Salvi; telefono: 02, 98 34 56 41. Ho molto freddo in casa. Potete venire a controllare per favore?

2 Risponde la SGDT. Potete lasciare un messaggio e il vostro numero di telefono dopo il segnale. Grazie.
   Aiuto! È il 3 2 0, 21 34 54 1. C'è acqua dappertutto! Venite subito.

3 Risponde la SGDT. Potete lasciare un messaggio e il vostro numero di telefono dopo il segnale. Grazie.
   È un'emergenza. Non possiamo usare il bagno. Chiamate il 3 4 7 44 47 85 7.

11. Cerca sul dizionario la traduzione di queste parole e poi mettile in ordine di durata.
L'attività ha come scopo il rafforzamento del lessico concernente le nozioni di tempo legate alla giornata e al calendario. Le definizioni deriveranno dai diversi dizionari e quindi possono variare; la sequenza invece è una sola: minuto, ora, sera, giorno, weekend, settimana, mese, anno.

12. In italiano usiamo molte parole straniere.
Chiavi: "lavoro a tempo parziale" e "fine settimana".

Fonologia
L'accento rappresenta una difficoltà soprattutto per studenti di madrelingua ad esempio spagnola (dove è sempre segnato se non si trova nella penultima sillaba) o francese (dove cade sempre alla fine della parola), quindi è bene lavorare molto su questo aspetto "anarchico" dell'italiano.

13, 14, 15. Con un compagno leggi queste parole e indicate l'accento. (CD 1 TRACCIA 39)
buongiòrno, bène, càsa, italiàno, cognòme, femminìle, farmacìa, gènte, gràzie, pizzerìa, leziòne, mùsica, nùmero, telèfono, città, nazionalità

16, 17. Completa la tabella con queste parole. (CD 1 TRACCIA 40)

Parole che pronunciamo come:	casa	cognome	numero	città	pizzeria
	vero treno	studente signora ufficio lavoro arrivederci	immagine ordine	università perché così	polizia biglietteria

VITA ITALIANA

A pagina 22 abbiamo visto una caratteristica dell'Italia che spesso stupisce gli stranieri: la sua estrema variabilità da regione a regione. In questa pagina torniamo su un aspetto che talvolta "sconvolge" gli stranieri, la famosa "sindrome di Stendhal".

APPROFONDIMENTI

Lo scopo di questa pagina è chiaro fin dal titolo, quindi non mette conto spiegarlo; si noterà invece come la scoperta del dizionario avvenga in maniera induttiva; finiti gli esercizi, il docente può decidere di dedicare qualche altro minuto a cercare parole e a vedere come utilizzare al meglio questo strumento. Si continuerà a lavorare sull'uso del dizionario a pag. 58.

1. Usiamo il dizionario.
Chiavi: vedere, conoscere, diventare, trovare, scrivere, creare, rimanere.

2. Ma il dizionario talvolta è difficile da usare.
Chiavi: essere, avere, andare.
Chiamarsi, esserci, unirsi, salutarsi, vedersi, abbracciarsi.

UNITÀ 6: A CASA E AL BAR

LEZIONE 11: AL BAR E IN FAMIGLIA

1. Secondo te, cosa fanno le due ragazze?

Naturalmente nessuno studente può sapere cosa c'è nel messaggio o nella foto sul cellulare, ma le ipotesi possono essere tante, per cui si fanno fare previsioni (e intanto si recupera lessico, strutture, ecc. e si predispone la mente alla comprensione del testo), eventualmente si scrivono alla lavagna, incuriosendo gli studenti a scoprire il testo fornendo una motivazione in più per ascoltare il dialogo.

2, 3, 4 e 5. Ascolta il dialogo e rispondi alle domande. (CD 1 TRACCE 41 E 42)

Il dialogo è il seguente:

Elisa: Cosa prendi, Susanna?

Susanna: Un tè al limone e tu?

Elisa: Non lo so. Vorrei qualcosa di caldo anch'io, ma non un tè.

Susanna: Perché non prendi una cioccolata in tazza?

Elisa: D'accordo! Buona idea! Una cioccolata in tazza con molta panna.

Susanna: Hai un cellulare nuovo?

Elisa: No, è sempre lo stesso. Guarda…

Susanna: E queste foto cosa sono?

Elisa: È la mia famiglia.

Susanna: Questo chi è?

Elisa: È mio fratello Giacomo.

Susanna: E questi?

Elisa: Sono mio padre e mia madre.

Susanna: Sembrano simpatici! Come si chiamano?

Elisa: Mia madre è molto simpatica, si chiama Elena. Mio padre, invece, non è simpatico per niente.

Susanna: Ma dai… Hai anche una sorella?

Elisa: Sì, Barbara e poi ho anche un altro fratello, Silvano.

Susanna: Quattro figli! Una bella famiglia!

Elisa: E poi c'è Adriana, la figlia di mia sorella. Ecco, guarda, ha 2 anni. Sono già zia!

Chiavi dell'esercizio 2: 1 un tè al limone, 2 una cioccolata in tazza, 3 alcune foto della sua famiglia, 4 Elena la madre, il nome del padre di Elisa, Gabriele, non è inserito nel dialogo per farlo scoprire agli studenti nell'esercizio 6, 5 non è simpatico per niente, 6 Giacomo e Silvano, 7 Barbara, 8 tre, due fratelli e una sorella, 9 La figlia di Barbara.

6. Leggi e completa i testi.

Come già fatto nella "Vita italiana" di pag. 50, anche qui si danno elementi lessicali ignoti, ma si spingono gli studenti a non arenarsi e a non andare subito sul dizionario, ma a cercare di intuire i significati. Come è facile constatare da queste prime unità di *Italiano: pronti, via!*, tutte le abilità linguistiche vengono insegnate in maniera graduale. In questo caso, è l'abilità di lettura che a poco a poco coinvolge lo studente in attività sempre più complesse. Il testo di lettura che presentiamo qui offre, poi, la possibilità di rendere consapevoli gli studenti del fatto che abilità linguistiche, esponenti morfosintattici e lessicali, elementi culturali, strategie di apprendimento e abilità di studio devono essere insegnati in maniera integrata. Da ciò la rilevanza del percorso inferenziale che viene proposto qui.

Chiavi: La madre di Elisa si chiama Elena. Suo padre Gabriele. Barbara è sua sorella. I fratelli di Elisa si chiamano Silvano e Giacomo. La figlia di Elena si chiama Elisa. Suo marito Gabriele. Gli altri figli di Elena si chiamano Barbara, Silvano e Giacomo. La moglie di Gabriele si chiama Elena. Lui e Elena sono i genitori di Elisa, Barbara, Silvano e Giacomo. Gli zii di Adriana si chiamano Silvano e Giacomo. Sua zia si chiama Elisa.

7. Cosa posso prendere al bar?
Chiavi: 1 panino, 2 gelato, 3 birra, 4 acqua, 5 vino, 6 cornetto, 7 cappuccino, 8 pizza.

8. Prova a riempire gli schemi con le parole dell'attività precedente o con altre che conosci.
Le risposte possono variare da studente a studente, per cui la correzione fatta coralmente per tutta la classe aiuta ad ampliare il lessico. Inoltre, se le attività di comparazione dell'italiano con la lingua madre degli studenti – ad esempio quando si è richiesto di indicare parole italiane usate nella loro L1 – hanno promosso quanto meno un iniziale processo di apprendimento, questa attività è l'occasione per tornare a stimolare quegli apprendimenti. Si tratta di un esempio lampante di ripresa a spirale degli elementi presentati, un criterio metodologico fondamentale di questo manuale.

9, 10. Nel dialogo al bar, Elisa non sa cosa prendere e Susanna l'aiuta a scegliere. Cosa dice a Elisa?
È opportuno sottolineare l'utilità data dalla frequenza d'uso della funzione espressa da *Perché non...*, in modo che gli studenti possano rapidamente apprendere un modo di esprimere un invito o un suggerimento che a livello morfosintattico risulta alla loro portata.
Chiavi: Perché non prendi... ?

11. Completa le frasi con il possessivo.
Chiavi: 1 tuo, 2 vostra, 3 sua, 4 loro, 5 nostra, 6 sua.

12. Trasforma le frasi con i possessivi.
Chiavi:
2 Suo fratello si chiama Giacomo.

3 La loro figlia si chiama Elisa.
4 Il loro padre si chiama Gabriele.

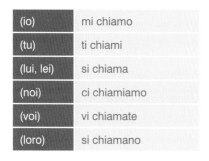

(io)	mi chiamo
(tu)	ti chiami
(lui, lei)	si chiama
(noi)	ci chiamiamo
(voi)	vi chiamate
(loro)	si chiamano

13. Completa con il verbo *chiamarsi*.
Chiavi: 1 vi chiamate, 2 si chiamano, 3 ci chiamiamo, 4 si chiamano.

14. Completa le frasi.
"Molto" in funzione avverbiale non cambia.

UNITÀ 6: A CASA E AL BAR

LEZIONE 12: IN FAMIGLIA

1. Che cognome possiamo dare alla famiglia di Elisa?

È semplicemente una rapida attività per far cogliere il tema della lezione. Si può far notare che molti cognomi, soprattutto al centro e al nord, finiscono per "i", e che molti cognomi hanno "di" o "de" staccato dal resto, di solito costituito da un nome proprio di persona o di città. Se l'attività risulta interessante, è possibile chiedere agli studenti di fare una piccola indagine per verificare, semplicemente usando l'elenco del telefono, se nel luogo dove vivono ci sono persone che hanno un cognome italiano. Questo è possibile nel caso in cui il corso di italiano sia effettuato all'estero; ma anche nel caso di un corso di italiano per stranieri in Italia, questa attività è realisticamente fattibile grazie alla possibilità di reperire online gli elenchi telefonici di molti paesi.

2, 3. Abbina le parole del riquadro alle persone.

Ci sono varie possibilità combinatorie e quindi sarà interessante, poi, discutere le scelte con gli studenti; la cosa fondamentale è che in questo tipo di attività i significati vengono fissati nella memoria visiva.

L'esercizio 3 può aprire a una vasta discussione che, se le parole vengono fissate alla lavagna ed eventualmente scherzosamente riferite agli studenti, possono aiutare la memorizzazione.

4, 5, 6 e 7. Ascolta Silvano che descrive una persona della sua famiglia. Di chi parla? (CD 1 TRACCIA 43)

Trascrizione:

Questa persona della mia famiglia è abbastanza giovane. È abbastanza alta, non è grassa. Secondo me è carina. È anche molto simpatica. Chi è?

Chiavi dell'es. 4: Elena, la madre.

8. Pensa a un membro della tua famiglia.

Le risposte sono libere.

9. Guarda la foto e le frasi. Scegli la parola giusta.

Chiavi: 1 genitori, nonni, 2 cugina, 3 cognato, 4 nipoti.

10, 11. Scopriamo la famiglia!

Sono tutte attività volte a consolidare il lessico della famiglia.

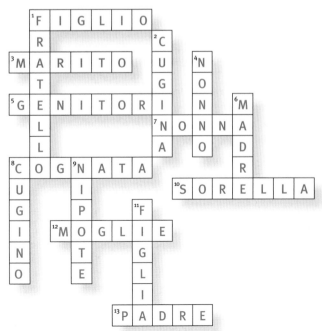

Fonologia

12, 13. Ascolta e ripeti le parole. (CD 1 TRACCIA 44)

Il suono trattato in questa lezione può essere complesso per gli studenti che appartengono a famiglie linguistiche che non lo usano e in un caso come questo si possono fare anche attività supplementari.

14, 15. L'intonazione. (CD 1 TRACCE 45 E 46)

Per lingue in cui l'interrogativo si indica con l'inversione verbo-soggetto oppure con un ausiliare specifico come *do* in inglese, comprendere l'interrogativa italiana fatta con la sola intonazione può essere difficoltoso, per cui si possono fare ulteriori esercizi su questo modello.

Le frasi dell'es. 14 sono:

1 Come ti chiami?

2 Mi chiamo Luca.

3 Sono italiano, non sono francese.

4 Quanti anni hai?

5 Ho 40 anni.

6 Dov'è Francesco?

7 Non lo so.

VITA ITALIANA

In questa lezione si riprendono i due temi dell'unità.

È il primo testo di una certa complessità che gli studenti sono chiamati a leggere, quindi si consiglia di procedere lentamente: dapprima cercare di vedere se colgono il senso globale di ogni paragrafo, poi cercare una comprensione un po' più approfondita, ma sempre insistendo con gli studenti perché non si blocchino di fronte a una parola che non conoscono. È opportuno ricordare loro l'attività 6 di pag. 53 e la strategia che lì si è incontrata.

Se si vuole ampliare il tema della mania italiana per il caffè, si può offrire questa terminologia, che riprendiamo dal volume di M. Voltolina *L'italiano è servito. L'italiano per stranieri attraverso la cucina*, Guerra Edizioni 2008:

Il caffè espresso è servito in molte maniere diverse:

- **ristretto**: è un caffè che riempie meno di metà della tazzina: cremoso, denso, profumato al massimo;
- **lungo**: è la tazzina di caffè piena; ha più caffeina del caffè ristretto, ma ha meno profumo;
- **macchiato caldo/freddo**: con un po' di latte; se è caldo, il latte è scaldato con vapore in modo che faccia la schiuma come il cappuccino; se metti più latte, è un **macchiatone**; un **marocchino** ha ancora più latte, ma è più piccolo del cappuccino; il macchiato può anche essere senza schiuma, ma bisogna chiederlo al barista;
- **corretto**: si aggiunge al caffè un po' di grappa o brandy;
- **in tazza / in vetro**: normalmente il caffè viene servito in tazza, ma, soprattutto al Sud, alcuni lo preferiscono in una tazzina di vetro anziché di ceramica;
- **cappuccino**: in una tazza da tè si mette un caffè e si aggiunge latte, scaldato con vapore spinto a pressione dentro il latte in modo da farne una schiuma; può avere anche una spolverata di polvere di cacao sulla schiuma;
- **latte e caffè**: un espresso in bicchiere con aggiunta di latte (caldo o freddo) senza schiuma;
- **americano**: il classico caffè in tazza grande fatto con i filtri o con il caffè solubile, tipo Nescafé;
- **shakerato**: caffè con ghiaccio tritato gonfiato d'aria in uno shaker; si trova ancora poco, ma sta diffondendosi soprattutto d'estate;
- **freddo**: è caffè tenuto in frigo e viene bevuto d'estate; siccome lo zucchero non si scioglierebbe nel caffè freddo, viene prima sciolto in un po' d'acqua;
- **alpino**: lo si beve soprattutto nei rifugi delle Alpi, e si fa mettendo grappa al posto dell'acqua nella moka.

APPROFONDIMENTI

Continua la riflessione sull'uso del dizionario che abbiamo iniziato a pag. 51.

1, 2. Crea il tuo dizionario.

Chiavi:

PADRE:	un uomo che ha uno o più figli.	NONNO:	il padre di uno dei miei genitori.
MADRE:	una donna che ha uno o più figli.	NONNA:	la madre di uno dei miei genitori.
GENITORI:	un uomo e una donna che hanno uno o più figli.	MARITO:	un uomo sposato con una donna.
FRATELLO:	un maschio che ha i miei stessi genitori.	MOGLIE:	una donna sposata con un uomo.
SORELLA:	una femmina che ha i miei stessi genitori.		

3. "Chiamare" e "chiamarsi"
Chiavi:
Chiamo, chiami, chiama, chiamiamo, chiamate chiamano.
Mi chiamo, ti chiami, si chiama, ci chiamiamo, vi chiamate, si chiamano.
Il mio/tuo/suo/nostro/vostro/loro nome è…

4. "Mi chiamo Wang", "Il mio nome è Wang"
Chiavi: 2 il mio nome è, 3 ci chiamiamo, il nostro nome è, 4 il suo nome è, 5 il tuo nome è.

AUTOVALUTAZIONE DEL PERCORSO 2

1. Completa il testo.
Chiavi:
Ciao, mi chiamo … (il resto è personale).
Sono contento di questa lista di discussione per studenti italiani. Rispondete al mio messaggio!

2. Completa questo dialogo.
Chiavi:
(Alcuni dati sono personali).
- Pronto?
- Pronto. Buongiorno, mi chiamo ……………………..
- Buongiorno. Come posso essere utile?
- Sono uno studente ……………. e vorrei trovare un lavoro part time.
- Quanti anni ha?
- Ventidue.
- Dove abita?
- A …………………………………….
- Ha un telefono?
- Sì, 3 2 9 43 43 3 9 6.
- Che lavori sa fare?
- Durante le vacanze faccio ………………………………....
- Quali lingue conosce / sa parlare?
- Spagnolo, inglese e italiano.
- C'è un lavoro in ……………………..
- Benissimo, grazie!
- Le telefono quando ho informazioni. Arrivederci.
- Arrivederci e grazie!

3. Metti l'articolo indeterminativo.
Chiavi: Una scuola, un'idea, un lavoro, una lezione, un esempio, un'università, un cognome, un telefono, uno spagnolo, una vacanza.

4. Metti l'articolo determinativo.
Chiavi: la scuola, l'idea, il lavoro, la lezione, l'esempio, l'università, il cognome, il telefono, lo spagnolo, la vacanza

5. Completa le frasi con il verbo *parlare*.
1 parlo, 2 parlano, 3 parlate, 4 parla, 5 parli.

6. Completa le frasi con il verbo *finire*.
1 finisce, 2 finiscono, 3 finite, 4 finisco, 5 finisci.

7. Completa le frasi con il verbo *andare*.

1 vado, 2 vanno, 3 andate, 4 vado, 5 vai.

8. Completa le frasi scegliendo *fare*, *sapere* o *potere*.

1 facciamo, 2 sanno, 3 sapete, 4 posso, 5 puoi, 6 possiamo, 7 sappiamo, 8 potete.

9. Inserisci il nome giusto per queste famiglie.

1 nonno, 2 fratello, sorella, 3 padre, moglie, 4 marito, 5 padre, madre, figli/fratelli

10. Scrivi questi numeri.

21	ventuno	88	ottantotto
22	ventidue	59	cinquantanove
23	ventitré	60	sessanta
30	trenta	64	sessantaquattro
35	trentacinque	70	settanta
36	trentasei	90	novanta
50	cinquanta	100	cento

VITA ITALIANA

Sono possibili risposte espresse in altro modo.
1 Gli Eurostar sono treni ad alta velocità e si usano per i viaggi lunghi.
2 I treni regionali e interregionali costano meno degli Eurostar.
3 Nelle grandi stazioni non ci sono solo la biglietteria e le toilettes (ecc.) ma anche negozi, la farmacia (ecc.).
4 Gli italiani fanno spesso colazione al bar dove possono prendere un caffè, un cappuccino, un cornetto (ecc.).
5 A pranzo, se vanno in un bar possono mangiare un panino e bere acqua (ecc.), birra, vino.
6 Per ordinare un caffè in maniera gentile si può dire "vorrei un caffè, per favore".
7 Una persona che lavora in un negozio è un/a commesso/a ma se lavora in un ufficio è un/a impiegato/a.

PERCORSO 3

Dopo il forte balzo in avanti del Percorso 2, necessario per fornire allo studente lessico, grammatica ed espressioni funzionali a sufficienza per poter fare attività interessanti, per comunicare significati abbastanza complessi, questo terzo percorso consolida molto di quanto fatto finora, come si vede negli "approfondimenti" dell'indice qui sotto.
Ci sono comunque novità rilevanti, strumentali a molte possibilità comunicative, come i verbi *venire, dovere, dire,* e, sul piano funzionale, le espressioni di gusti personali.

Percorso 3			
Unità 7 *Quattro chiacchiere con gli amici* **Unità 8** *Una casa nuova* **Unità 9** *Dentro la casa*	- chiedere come procede qualcosa - indicare la durata al passato e al presente - parlare della salute di qualcuno - parlare di ciò che si preferisce e ciò che dispiace - usare le date Approfondimenti e ripasso: - comunicare al telefono - espressione della necessità - espressione delle opinioni - espressione di possibilità e di permesso - localizzare nello spazio: dire la provenienza con *di* e *da*	- aggettivi di colore - avverbi e preposizioni di luogo - *essere/fare* + nome di mestiere - preposizioni articolare - verbi irregolari: *venire, dovere, dire* Approfondimenti e ripasso: - articoli - nomi maschili in *a* - numerali: centinaia, migliaia, gli anni - possessivi - *potere* nelle richieste/espressioni di permesso - plurale, inclusi nomi in *–tà* e dei femminili in *-o* e tronchi	- casa, appartamento - concetto di *Italian style* - feste italiane - nomi e soprannomi Approfondimenti: - lavoro e mestieri

UNITÀ 7: QUATTRO CHIACCHIERE CON GLI AMICI

LEZIONE 13: UN TÈ IN COMPAGNIA

1. Secondo te, di cosa parlano quattro amici anziani quando prendono un caffè insieme?

Da questa unità in poi non commentiamo più separatamente il solito esercizio di apertura, che sintonizza sul tema della lezione e che quindi va fatto con rapidità.

2, 3, 4, 5. Ascolto. (CD 1 TRACCE 47, 48 E 49)

In questo dialogo ci sono degli elementi culturali che potranno poi essere sviluppati dall'insegnante, ad esempio il fatto che spesso i figli restano a casa con i genitori molto più a lungo che in altri paesi (ci torneremo in percorsi successivi), il fatto che accanto al caffè, bevanda tradizionale, sta diffondendosi anche l'uso del tè. Fare anche notare che "tè" e "caffè" hanno la "è" finale con l'accento grave, mentre la generalità delle parole con la "e" accentata finale ha l'accento acuto: "perché", "finché", ecc.

Trascrizione del dialogo:
- Anna e Nicola, cosa prendete?
- Un tè al latte va benissimo… con un cucchiaino di zucchero per favore.
- Io preferisco un caffè… e c'è qualcosa da mangiare?
- Sì, questi sono i miei biscotti al miele fatti in casa e qui ci sono i vostri cioccolatini?
- Ah, sei anche una brava cuoca! E una brava mamma!
- Beh, nonna non mamma. Non mi ricordo cosa vuol dire fare la mamma….
- Vero, i vostri figli sono già grandi. Quanti nipoti avete?
- Fabio ha due bimbe. Una di 6 e l'altra di 2 anni. Renata ha già 42 anni e un figlio di 12. E voi? I vostri figli sono ancora giovani, vero?
- Giulia ha 22 anni e un bambino di 6 mesi. Lino non ha nessuna intenzione di fare il papà. Anche se ha già 28 anni vive con noi.
- I tuoi figli vivono vicino?
- Fabio, sì. Vive in centro, in Viale Cavour. Renata un po' vive qui, un po' in altri paesi o in altre città… sai ha un lavoro molto particolare…
- Emma, posso prendere ancora un po' di tè?
- Certo. Ecco il latte.

Chiavi del'es. 3:

	nome dei figli	età dei figli	numero di nipoti	età dei nipoti
Anna e Nicola	Giulia, Lino	22, 28	1	6 mesi
Emma e Pasquale	Fabio Renata	Renata 42	3	6, 2, 12 anni

6. Nel dialogo ci sono parole che hanno il significato di altre che consoci. Quali sono?

Si può far notare che tutti e tre questi termini fanno parte di un linguaggio familiare, tipico dei bambini e con una connotazione affettiva. Al posto di *papà* in parecchie zone di Italia (in particolare in Toscana) si usa *babbo*.
Chiavi: papà, mamma, bimbo.

7. Guarda la tabella dell'attività 3 e fa' delle frasi come nell'esempio.

Questa attività ripassa quanto fatto nel percorso 2 sul tema delle relazioni parentali e sul plurale. Allo stesso tempo, introduce i possessivi. In questa prima fase di osservazione e scoperta della regola, occorre lasciare liberi gli studenti di formulare ipotesi su come funziona questa parte della lingua italiana, senza cioè intervenire per correggere e proporre la soluzione giusta. Ovviamente, il percorso di osservazione del testo e di scoperta va guidato e quindi un aiuto all'osservazione del testo dell'attività 4 che fornisce diversi possessivi plurali può risultare utile.

8. Metti l'articolo determinativo singolare e plurale.

singolare	plurale
l'esperienza	le esperienze
l'impiegato	gli impiegati
l'ospedale	gli ospedali
l'infermiera	le infermiere
il cugino	i cugini
la famiglia	le famiglie
il fratello	i fratelli
il genitore	i genitori
la moglie	le mogli
il nonno	i nonni
la pizza	le pizze
lo studente	gli studenti

9. Metti gli articoli e il plurale dei nomi.

singolare	plurale
l'esempio	gli esempi
l'università	le università
l'attività	le attività
il negozio	i negozi
la città	le città
l'età	le età
lo zio	gli zii
l'unità	le unità

10. Completa le frasi con l'articolo e il possessivo.
1 Luca, questa è la tua nuova macchina?
2 Luisa, come si chiama il tuo direttore?
3 Filippo, dove abita la tua amica Giovanna?
4 Giorgia, quanti anni ha il tuo ragazzo?

11. Ora metti tutto al plurale come nell'esempio.
2 Luisa e Paola, come si chiamano i vostri direttori?
3 Filippo e Marta, dove abitano le vostre amiche Giovanna e Cristina?
4 Giorgia e Sara, quanti anni hanno i vostri ragazzi?

LEZIONE 14: AL TELEFONO

1, 2, 3, 4, 5, e 6. Ascolto. (CD 1 TRACCE 50 E 51)

Trascrizione, che serve anche come soluzione dell'es. 3:

Pasquale:	Emma, perché non chiamiamo Renata?
Emma:	No, preferisco scrivere una mail. Telefonare costa caro!
Anna:	E dai, Emma. Anch'io vorrei parlare con Renata…
Emma:	E va bene! Ma Nicola, poi non dire che spendo troppo al telefono…
Stefano:	Pronto?
Emma:	Pronto, Stefano sono la nonna. Come state?
Stefano:	Buongiorno, Emma, noi stiamo bene e voi?
Emma:	Anche noi. Siamo qui con Anna e Nicola, ti ricordi?
Stefano:	Certo, buongiorno a tutti.
Emma:	Senti, c'è Renata?
Stefano:	No, Renata è già al lavoro e Max dorme ancora.
Emma:	Come? Puoi ripetere? Non sento molto bene.
Stefano:	Renata non c'è e Max dorme.
Emma:	Stefano, posso lasciare un messaggio?
Stefano:	Certamente. Aspetti un momento, prendo una penna. Ecco qua…
Emma:	Ecco il messaggio: ho bisogno di parlare con Renata per sapere quando venite in Italia.
Stefano:	Se è solo per questo… La prossima settimana cominciano le vacanze di Max e arriviamo!
Emma:	Che bello! Allora a presto. Ciao.
Stefano:	Arrivederci.

Chiavi dell'es. 2: 1 perché telefonare è/costa caro. 2 A sua figlia Renata. 3 Stefano è in casa e risponde al telefono; Renata è al lavoro; Max dorme. 4 La settimana prossima.

7. Secondo te, Emma è la nonna di Renata o di Stefano? Come lo sai?

Lo dice nella sesta battuta, quando Stefano risponde alla telefonata. Emma si presenta come "la nonna", ma Stefano le dà del lei. Un nipote non dà mai oggigiorno del lei alla propria nonna. Quindi Emma è la nonna di Renata.

8. Completa le frasi.

Chiavi: 1 preferiamo, 2 preferisce, 3 preferiscono, 4 preferisci.

9, 10, 11. Ascolta e completa il dialogo. (CD 1 TRACCIA 52)

Trascrizione:
- C'è qualcosa da bere?
- Sì, cosa prendi? Tè o caffè?
- Preferisco un tè con limone.
- D'accordo. Solo un momento.

Per fornire più lessico, in modo da variare i dialoghetti, si può completare il cruciverba a pag. 69 prima di fare l'es. 10.

12. Scopri le parole.

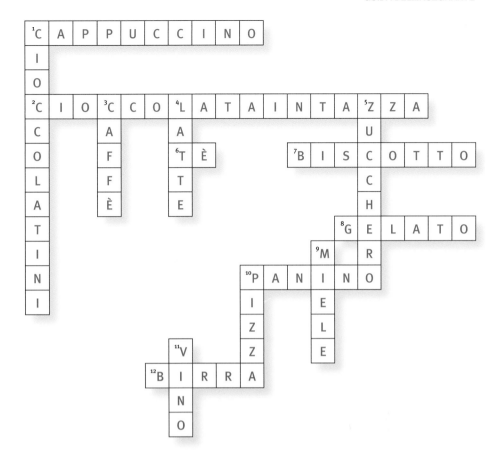

Fonologia

13. Ascolta e ripeti. (CD 1 TRACCIA 53)

Il fonema trattato in questa lezione è presente in quasi tutte le lingue quindi non dovrebbe creare difficoltà nella produzione; vanno piuttosto informati gli studenti che le pronunce regionali italiane lo usano in maniera variata:

- nel Veneto si tende a sfumarlo molto, per cui sembra quasi una /s/ normale, per cui "scemo!" sembra quasi "semo!";
- in Emilia e in Romagna molte volte la "s" normale suona invece come "sc", per cui "senza" suona quasi come "scenza";
- a Napoli una "s impura", cioè seguita da una consonante, soprattutto all'inizio di parola, diventa "sc", un po' come accade in tedesco, per cui "stupido!" suona "sctupido!".

VITA ITALIANA

Si propone un aggancio alla lingua viva, quotidiana, rappresentata in questo caso dai nomi, dopo le riflessioni sulla realtà delle pronunce quotidiane fatte nella sezione di fonologia.

Compare qui per la prima volta, visto che il materiale linguistico disponibile dopo i primi tre percorsi è ormai abbastanza vasto, una rubrica di stimoli da proporre dopo la lettura, per una serie di riflessioni comparative tra la cultura italiana e il modo di vivere del paese dove vive o da dove viene lo studente.

Un'annotazione culturale a margine, basata sulla foto della vittoria della Nazionale italiana ai mondiali di calcio in Germania nel 2006: malgrado la forte differenziazione regionale, gli italiani si ritrovano sempre tutti uniti in occasione dei campionati europei e di quelli mondiali di calcio (e, almeno per coloro che sono interessati, di fronte alle vittorie delle Ferrari): si organizzano cene per vedere insieme le partite, ci sono maxischermi nelle piazze; se si vince, ci sono ore di festa collettiva nelle strade. Ma il giorno dopo, tutto è dimenticato: la solidarietà nazionale lascia spazio ai soliti campanilismi e a mille forme di razzismo e xenofobia più o meno esplicite.

APPROFONDIMENTI

1. Metti gli articoli plurali davanti a questi nomi.
Chiavi: gli anziani, gli stati, gli sportivi, i grandi, gli argomenti, le bambine, i bimbi, i cuochi, le intenzioni, le mail, le mamme, gli zii, le zie, le idee, gli studenti, gli zuccheri, gli amici, gli ospedali.

2. Metti al plurale questi nomi e il loro articoli.
Chiavi: gli zii, le città, le università, gli esempi, le mamme, le madri, le zie, le ragazze, i giovani, le idee, i papà, i momenti, i personaggi, gli anziani, le famiglie, le mogli, i figli, le figlie, i tè, i caffè, gli amici.

3. Volgi al plurale queste frasi.
Chiavi: 1 Questi sono i miei amici. 2 Quelli sono i tuoi biscotti. 3 Ecco i suoi (i loro) bambini. 4 Preferiamo questi biscotti. 5 Preferite quei panini? 6 Loro preferiscono andare al mare.

4. Ci va l'articolo?
Chiavi: il mio papà, tuo padre, il mio ragazzo, i loro nipoti, la mia mamma, mio nonno, i miei zii, i miei nonni, mia madre.

5. Sai fare queste cose in italiano? Costruisci il dialogo tra te e un amico.
Chiavi:

Amico: C'è qualcosa da bere?
Tu: Sì, cosa prendi / preferisci / vuoi?
Amico: Preferisco / vorrei un tè al latte.
Tu: Lo vuoi/preferisci con lo zucchero?
Amico: Lo preferisco con il miele.
Tu: (sono) d'accordo, anch'io il miele.

UNITÀ 8: UNA CASA NUOVA

LEZIONE 15: CERCARE CASA

1, 2. Guarda le fotografie e leggi la descrizione.
In questo caso guardare le foto non serve solo a sensibilizzare al tema, ma è strettamente funzionale all'es. 2 ed alla comprensione.

Alcune notazioni culturali possibili:
- il palazzo veneziano: si può notare come, per alleggerire al massimo il peso sulle fondamenta appoggiate su pali piantati nella sabbia, il palazzo non abbia quasi muri, essendo composto di colonne e finestre;
- l'attico non va confuso con una mansarda: questa è l'ultimo piano di un edificio, spesso sottotetto, quindi con i soffitti inclinati; l'attico è un appartamento costruito sulla terrazza di un palazzo; l'attico è uno *status symbol* fortissimo;
- la villa della foto è molto importante, ha una grande piscina; ci sono anche "ville" che sono in realtà grandi case con un parco intorno, non così ricche come questa; nel sud "villa" significa spesso la "villa comunale", cioè la sede del municipio (o di un'altra istituzione importante) in una costruzione antica con un parco intorno, rimasto integro nel cuore della città.

3, 4, 5 e 6. Ascolta il dialogo e completa la tabella. (CD 1 TRACCE 54 E 55)

Chiavi:

	c'è	un terrazzo corridoio salotto	uno	una cucina camera da letto singola	un'
	non c'è	il garage	lo	la cantina	l'
Nella casa					
	ci sono	due camere da letto doppie, bagni	tre camere da letto	quattro	cinque

Le parole che mancano nel dialogo dell'es. 5 sono:
dolce, telefonata, appartamento, palazzo, stanze, bagni, cantina, casa, marito.

7. Abbina le parole alle immagini.
Chiavi: 6 camera da letto, 8 salotto, 4 terrazzo, 7 cucina, 5 cantina, 1 corridoio, 3 garage, 2 bagno.

8. Cerca nel dialogo e completa la tabella.
La costruzione delle preposizioni articolate basate su *in*, da cui scompare la "i" caratterizzante, può essere complessa, quindi l'insegnante può decidere di far notare direttamente un caso e poi far trovare gli altri.
Chiavi: nel, della, del, all', nel.

9. Cerca nel testo dell'attività 1 e completa la tabella.
Chiavi: Antonio fa il medico, Emanuela è dentista.
Far notare che con il verbo *fare* bisogna usare anche l'articolo, mentre il verbo *essere* non lo richiede.

10. Metti la preposizione e poi fa' il plurale come nell'esempio.
Chiavi: 2 nel cappuccino/nei cappuccini, 3 del cognato/dei cognati, 4 con il cugino/con i cugini, 5 alla famiglia/alle famiglie, 6 della madre/delle madri, 7 per la moglie/per le mogli, 8 al nonno/ai nonni, 9 nel panino/nei panini, 10 nella pizza/nelle pizze, 11 dello studente/degli studenti.

11. Completa le frasi con la preposizione articolata.
Chiavi: 1 nel, della, 2 alla, dei, 3 della, 4 nella, 5 sul, dell', 6 della, 7 all', 8 sulla, del.

Alla scoperta della lingua
Il gatto dorme in fondo alla via.
Il bambino gioca all'inizio della via.

12. Rispondi alle domande secondo la tua opinione.
Varie risposte possibili. L'attività assume un significato più completo se poi si procede al confronto tra alcune risposte e se ne discute insieme alla classe.

13. Completa le frasi con *a, con, da, di, fra, in, per, su* con l'articolo o senza.
Chiavi: 1 nel, di, 2 di, del, della, 3 fra, 4 al, a, 5 per, alla, 6 sul.

UNITÀ 8: UNA CASA NUOVA

LEZIONE 16: DENTRO LA CASA

1. Nelle stanze che cosa c'è?

Il lavoro, svolto a coppie e quindi mettendo insieme due diversi meccanismi di inferenza, dovrebbe portare a individuare quasi tutte le parole; alla fine, comunque, nella correzione corale chi non ha saputo indicare una parola la scopre dai compagni; se c'è qualche parola che rimane scoperta, l'insegnante può guidarne l'individuazione.

Alcune annotazioni culturali:

- nel bagno è incluso anche il bidet, assai poco diffuso in molti paesi; oggi in Italia si accompagna e a volte è sostituito dalla doccia che è divenuta una prassi quotidiana diffusa;
- la vasca è del tipo con idromassaggio: sono ancora rare, ma a mano a mano che si rinnovano i bagni la tendenza è a usare queste vasche anziché quelle tradizionali. Per molti italiani costituiscono uno *status symbol*.

2. Mancano il salotto e la camera da letto.

Chiavi: 1 libreria, 2 poltrona, 3 divano, 4 quadro, 5 lampada, 6 letto, 7 armadio, 8 tappeto.

3. Guarda i disegni poi prova a tradurre queste espressioni nella tua lingua.

Questo esercizio ricorre alla lingua materna per chiarire alcune relazioni spaziali in maniera comparativa: quello che emerge – l'insegnante può indirizzare il lavoro in questo senso – è che molto spesso la relazione non è diretta: a una parola italiana non sempre corrisponde una sola parola nella lingua d'origine.

4. Ora chiudi gli occhi, rilassati, ascolta e... sogna! (CD 1 TRACCIA 56)

Quest'attività è basata su una tecnica didattica che può essere applicata in molti altri casi. Si tratta di accompagnare gli studenti a una visualizzazione che permetta loro di immaginare, vedendola mentalmente, una situazione o una scena, o anche una storia o singoli elementi e persone. Presenta parecchi vantaggi tra cui i più rilevanti sono:

- porta studenti solitamente non propensi a immaginare in maniera creativa ad attivare certe capacità del cervello spesso neglette nella pedagogia tradizionale di molti sistemi educativi;
- permette di creare scambi realmente comunicativi tra gli studenti. Così come avviene nell'attività 5.

Trascrizione:

Chiudi gli occhi, rilassati e vieni con me…

Siamo in un hotel bellissimo e tu hai la stanza più bella dell'hotel. È una suite, un vero appartamento in un attico. C'è il bagno, la cucina, la camera da letto e il salotto. [pausa] È bella, vero? È grande, piena di luce. Prova ad andare sul terrazzo… Ci sei? Ecco, senti il profumo del mare e guarda lì sotto, c'è il mare!

Ora torniamo dentro e andiamo in camera. Guarda il letto, l'armadio. C'è una libreria con molti libri…. Guarda bene dove sono queste cose. E poi vieni con me in cucina… Ecco la cucina: com'è? Cosa c'è?

E ora il bagno… il bidet, la vasca, il lavandino, lo specchio. Come sono? Dove sono?

Ah, abbiamo ancora il salotto, vieni! Guarda cosa c'è in questo salotto? Bello vero? E adesso piano piano torniamo qui. Apri gli occhi lentamente… Bello il tuo hotel?

Ci sono alcuni dettagli da far notare, ad esempio la forma e la natura del bidet, che in molte culture è sconosciuto, e l'espressione "piano piano", facendo notare che in italiano il raddoppiamento è molto usato come forma di accrescitivo, di superlativo.

5. Racconta a un compagno com'è il "tuo" hotel. È come il "suo"? Dove sono i vari oggetti e le stanze?

Per "tuo" e "suo" si intendono due diverse visualizzazioni dello stesso testo visto sopra.

6, 7. Hai bisogno di alcuni colori per descrivere l'hotel?

Si introducono i colori, aggettivi molto importanti per comunicare. Se lo ritiene opportuno, l'insegnante può far descrivere i colori dei mobili nelle due foto nella pagina di fronte, quello delle maglie e camicie degli studenti, quello delle cose che sono presenti in classe.

8, 9. Ora scrivi un breve testo per descrivere il "tuo" hotel.

Sono attività di riutilizzo. Le differenze dei due salotti a pag. 242 sono: colore del tappeto, quadro alla parete, porta aperta/chiusa, 4/6 sedie.

Fonologia

10, 11. Ascolta e ripeti le parole. (CD 1 TRACCIA 57)

VITA ITALIANA

Lo stile italiano è una delle principali motivazioni per la diffusione della nostra lingua nel mondo, quindi questa lettura può essere utile per una discussione sulla fama di eleganza che accompagna il *made in Italy*; se lo ritiene opportuno, l'insegnante può allargare il discorso anche agli stilisti dell'alta moda.
La serie di domande-stimolo a pie' di pagina serve per introdurre una riflessione sull'immagine dell'Italia nel paese in cui vivono o da dove vengono gli studenti.
L'es. 1 della pagina a fronte include domande relative a questa lettura.

APPROFONDIMENTO

1. Rispondi alle domande sul *Made in Italy*.

Chiavi:

1 Perché in tutto il mondo le usa in inglese.

2 Non significano solo "stile italiano", ma indicano una grande tradizione di cose belle.

3 Mobili, arredamento, automobili, treni, alta moda, vino, cibo.

4 No, viene da lontano, dalla grande tradizione artistica italiana.

5 Per due ragioni, una di immagine e l'altra di economia.

2. Che mestiere fanno queste persone?

Chiavi:

Anna fa la parrucchiera, è parrucchiera.

Caterina fa la cameriera, è cameriera.

Cecilia fa la fruttivendola / commessa, è fruttivendola / commessa.

Gianni fa il taxista, è taxista.

Fabio fa il poliziotto, è poliziotto.

Pippo fa il contadino, è contadino.

Luca fa il meccanico, è meccanico.

3. Descrivi queste coppie di palla e cubo usando *davanti, dietro, sotto, sopra, fra*, come nell'esempio.

Chiavi:

2 La palla è sopra il cubo.

3 Il cubo è sotto la palla.

4 Il cubo è davanti alla palla.

5 La palla è dietro il cubo.

6 La palla è fra i due cubi.

4. Di che colore sono queste macchie?

Chiavi: verde, arancio(ne), blu, bianco, rosso, giallo, rosa, nero, marrone.

UNITÀ 9: LA CASA

LEZIONE 17: COMPRARE CASA

Le foto possono essere commentate culturalmente:
- la foto in alto è un "rustico" in campagna: si tratta di case di contadini che sono spesso state abbandonate nel dopo-guerra e che oggi sono acquistate e restaurate come seconde case, cioè case per il weekend;
- la prima foto a sinistra mostra una villa moderna, con ampio giardino di fronte; il giardino, visto il costo del terreno urbano, è un forte *status symbol*;
- la seconda foto mostra un classico edificio ottocentesco; gli appartamenti all'interno vengono "ristrutturati", cioè re-staurati e oggi sono destinati alla classe media, spesso anche medio-alta;
- è la classica villetta di molte cittadine e villaggi, con un giardino, spesso vicino a campi coltivati; sono case per le clas-si medio-basse;
- l'ultima foto a destra è la terrazza di un attico o mansarda, cioè una casa di solito costruita come sopraelevazione di edifici preesistenti o, in quelli nuovi, non visibili di solito dalla strada: sono considerate abitazioni per classi medio-alte.

1. Leggi e abbina gli annunci alle foto.
Sono la foto in alto e quella del palazzo ottocentesco.

2. Crea l'annuncio con le informazioni dell'unità precedente.
Si fa riferimento all'attico della unità 8, lezione 15. L'esecuzione può variare da studente a studente e quindi poi si con-frontano due o tre annunci.

3, 4. Ascolta il dialogo e completa la piantina con i nomi delle stanze. (CD 2 TRACCIA 1)

Trascrizione:

Sig. Bugno: Entrate! Questo è l'ingresso che continua nel corridoio.
Sig.ra Carli: È abbastanza grande. Anche se è abbastanza buio.
Sig. Carli: È vero non c'è molta luce, ma qui possiamo mettere un armadio...
Sig. Bugno: Venite! Qui a destra c'è la cucina. Potete mettere un tavolo al centro, perché è molto larga. O se preferite anche là vicino alla finestra. Cosa dice, Signora Carli? È una cucina dove può cucinare bene?
Sig.ra Carli: A dire la verità il cuoco è mio marito...
Sig. Bugno: Ah, che uomo moderno! Venite questo è il salotto. Potete entrare dal corridoio o da questa porta della cucina.
Sig.ra Carli: E qui cosa c'è?
Sig. Bugno: Questa è una piccola stanza dove potete mettere tante cose, è un ripostiglio.
Sig.ra Carli: Questo sì è veramente utile!
Sig. Bugno: Venite, torniamo nel corridoio. A sinistra ci sono le camere. Questa è la camera singola.
Sig. Carli: Com'è piccola! Però possiamo usare questa stanza come studio.
Sig. Bugno: Tra le due camere doppie c'è un bagno comune.
Sig. Carli: Un bagno comune? Che strano!
Sig.ra Carli: Ma che bello! Com'è grande il bagno!
Sig. Carli: Sì. E come sono luminose le due camere. Guarda, da qui puoi andare sul terrazzo.
Sig. Bugno: A destra, davanti alla camera singola c'è l'altro bagno.
Sig.ra Carli: Abbastanza grande anche questo. Ma che colore forte! Arancione in bagno?
Sig. Carli: Signor Bugno, ci sono il garage e la cantina?
Sig. Bugno: Mi dispiace, non ci sono il garage e la cantina, ma c'è una soffitta di 60 metri quadrati tutta per voi.
Sig. Carli: Interessante. Ma sentiamo un po'. Quanto costa quest'appartamento?
Sig. Bugno: È molto bello vero?... I proprietari chiedono circa 750 000 euro.
Sig. Carli: 750 000 euro... hmmm, devo dire che è abbastanza caro! Abbiamo bisogno di un po' di tempo per riflette-re. Posso fare alcune foto?
Sig. Bugno: Certamente! E questa è una piantina dell'appartamento.

Chiavi: 1 corridoio, 2, 4, 5 camere, 3 bagno, 6 terrazzo, 7 cucina, 8 salotto, 9 ripostiglio.
Le tre parole nuove sono: ingresso, ripostiglio, soffitta.

5. Ora ascolta e di' se le affermazioni sono vere o false. (CD 2 TRACCIA 2)
Chiavi: 1 vero, 2 vero, 3 falso, 4 vero, 5 falso, 6 falso, 7 falso.

6, 7, 8. Ascolta e leggi il dialogo. Trova le differenze. (CD 2 TRACCIA 3)
Trascrizione (le differenze sono in grassetto):
- Entrate! Questo è l'ingresso che **va** nel corridoio.
- È abbastanza grande. Anche se è molto buio.
- È vero non c'è molta luce, ma qui possiamo mettere **una libreria**…
- Venite! Qui a destra c'è la cucina. Potete mettere un tavolo al centro, perché è molto **lunga**. O se preferite anche là vicino alla finestra. Cosa dice, Signora Carli? È una cucina dove può cucinare bene?
- A dire la verità il cuoco è mio marito…
- **Ah, venite questo è il salotto.** Potete entrare dal corridoio o da questa **finestra** della cucina.
- E qui cosa c'è?
- Ah, questa è una piccola stanza dove potete mettere **molte** cose, è un ripostiglio.
- Questo sì è veramente utile!
- Venite, **andiamo** nel corridoio. A sinistra ci sono le camere. Questa è la camera singola.
- Com'è piccola. Però possiamo usare questa stanza come studio.
- Tra le due camere doppie c'è un bagno comune.
- Un bagno comune? Che strano!
- Ma che **brutto**! Com'è **piccolo** il bagno!
- Sì. E come sono luminose le due camere. Guarda, da qui puoi andare sul terrazzo.
- A **sinistra**, davanti alla camera singola c'è l'altro bagno.
- Abbastanza grande anche questo. Ma che colore forte! **Rosso** in bagno?
- Signor Bugno, ci sono il garage e la cantina?
- Mi dispiace non ci sono il garage e la cantina, ma c'è una soffitta di 60 metri quadrati tutta per voi.
- Interessante. Ma sentiamo un po'. Quanto costa quest'appartamento?
- È molto bello vero?… I proprietari chiedono circa 750 000 euro.
- 750 000 euro… devo dire che è caro! Abbiamo bisogno di un po' di tempo per riflettere. Posso fare alcune foto?
- Certamente! E questa è una piantina dell'appartamento.

9, 10. Aiuta i Carli ad arredare l'appartamento.
Sono attività di riutilizzo del materiale lessicale visto finora.

11. Mancano ancora alcune parole importanti per la casa.
Chiavi: porta e finestra.

Come possiamo dire queste due frasi con il verbo *venire*?
Vengo da Perugia (senza l'articolo).

12. Completa le frasi con i verbi *dire, dovere* o *venire*.
Chiavi: 1 viene, 2 dici, 3 deve, 4 dite, 5 venite, 6 dobbiamo, 7 dicono, 8 vengono.

13. Metti le frasi al plurale.
Chiavi: 1 Buongiorno, voi come vi chiamate? 2 Posso vedere i vostri passaporti per favore? 3 Dove abitate? 4 Scusate, potete ripetere per favore? 5 Quali sono i vostri numeri di telefono? 6 Benissimo, grazie, potete andare.

14. Completa la tabella.
Chiavi: le moto, le radio, le auto.

15. Completa la tabella.
Si compila seguendo strettamente gli esempi.

UNITÀ 9: LA CASA

LEZIONE 18: LA VITA QUOTIDIANA

1. A coppie guardate la foto...
È la solita domanda iniziale di sensibilizzazione e di attivazione dei meccanismi cognitivi necessari per cominciare il processo di comprensione; raccordare la foto delle ragazze al fatto che nella pagina ci sono regali, per cui vanno probabilmente a una festa.

2, 3, 4 e 5. Ora ascolta il dialogo e in coppia controllate le vostre ipotesi. (CD 2 TRACCE 4, 5 E 6)
Chiavi dell'es. 3: 1 In questi giorni lavora venti ore al giorno e non fa nient'altro. 2 Finisce di lavorare e poi va a casa. Prima, però, deve andare al supermercato a comprare qualcosa da mangiare e poi va da Claudio. 3 Un regalo per Luca. 4 Fra tre giorni, il 10 ottobre.
4 Il 15 ottobre.

6. Conosci i mesi? Completa la tabella.
Le stagioni vengono date legando foto e nomi; i mesi sono indicati dai colori.

7. Ascolta com'è la data in italiano. Scegli la forma che senti. (CD 2 TRACCIA 7)
Chiavi: Oggi è il dieci ottobre.

8. Ascolta e indica la data che senti. (CD 2 TRACCIA 8)
Chiavi: 20 dicembre, 17 aprile, 25 giugno, 19 novembre, 7 luglio, 1 maggio.

10, 11. Pat è sudafricana...
Lo scopo è quello di aprire, poi, una discussione sulle varie scelte degli studenti, in modo da parlare in maniera libera, sostenendo le proprie idee, e non solo facendo esercizi.

12, 13. Completa la tabella poi ascolta e controlla i numeri. (CD 2 TRACCE 9 E 10)
Chiavi:

101	centouno	282	duecentoottantadue	10000	diecimila	1000000000	un miliardo
102	centodue	555	cinquecentocinquantacinque	50000	cinquantamila	2400000000	due miliardi e quattrocento milioni
103	centotre	1000	mille	57189	cinquantasettemila centottantanove	6000000000	sei miliardi
104	centoquattro	1001	milleuno	400000	quattrocentomila	8300000000	otto miliardi e trecento milioni
200	duecento	1005	mille e cinque	1000000	un milione		
201	duecentouno	1025	mille (e) ventcinque	4000000	quattro milioni		
220	duecentoventi	1225	mille ducenetoventicinque	4200000	quattro milioni e duecentomila		

14. Vediamo se ricordi le parole!

VITA ITALIANA

La struttura portante della pagina è l'asse verticale in cui sono indicate le stagioni, attraverso i richiami fotografici, e la scansione dei mesi. L'insegnante può anche farli scrivere accanto alle caselle colorate.

Come sempre se ci sono parole ignote gli studenti devono fare uno sforzo per intuire il significato dal contesto generale, prima di chiedere un aiuto all'insegnante.

L'es. 1 della pagina a fronte è un questionario su questa pagina.

Cruciverba:

- 1 (verticale): F I G U R A
- 2 (orizzontale): C A M E R A D A L E T T O
- 3 (verticale): L I B R E R I A
- 4 (orizzontale): M U T U O
- 5 (orizzontale): P A R E T E
- 6 (orizzontale): A F F I T T A R E
- 7 (orizzontale): F I N E S T R A
- 8 (verticale): T A P P E T O
- 9 (orizzontale): T E T T O

APPROFONDIMENTI

1. Le feste degli italiani.

Chiavi:

1: 25 aprile, 1 maggio, 2 giugno
2: in primavera, Pasqua; il 25 dicembre, Natale
3: 15 agosto, ferragosto
4: 6 gennaio, carnevale, Pasqua
5: 1 e 2 novembre, si ricordano parenti e amici che non sono più tra noi
6: 1 gennaio.

2. Completa con *venire* e *dovere*, come nell'esempio.

Chiavi: 2 viene, deve; 3 vengono, devono; 4 veniamo, dovete; 5 vieni, devo.

3. Questi sono i simboli di "uomo" e "donna" sulle porte, ad esempio, dei bagni.

Maschili: carnevale, problema, cinema, regno, febbraio.
Femminili: mano, befana, moto, foto, repubblica.

4. Quando non sai una parola, puoi usare una frase che ha lo stesso significato.

Chiavi: 1 camera da letto, 2 bagno, 3 finestra, 4 porta, 5 tetto, 6 cucina, 7 garage.

5. Scrivi questi numeri.

Chiavi: cento, centodieci, quattrocento, seicentoventuno, mille, millenovecento, centomila, un milione.

TEST DI AUTOVALUTAZIONE DEL PERCORSO 3

1. Completa questo dialogo al bar.

Chiavi:

- Fabio, cosa prendi?
- Un tè al latte va bene/benissimo.
- Vuoi anche qualcosa da mangiare?
- Sì, grazie, vorrei/prendo dei biscotti.
- Bene. Io prendo un caffè macchiato caldo.

2. Parla di te.   Risposte personali.

3. Cercare una casa.

Chiavi:
- Abbiamo un appartamento che forse va bene per voi.
- Com'è?
- È una vecchia casa in campagna.
- E dov'è?
- Vicino a San Giovanni, quel paesino sulla strada per Bologna.
- Oh, bellissimo / benissimo! / Mi piace! È una casa grande?
- C'è una cucina, un salotto e poi tre camere da letto, una doppia e due singole.
- Noi abbiamo due auto, dove le mettiamo?
- C'è un garage molto grande.
- E… quanto costa?
- Prima andiamo a vederla, poi parliamo del prezzo.
- Bene / benissimo. Allora aspetto la vostra telefonata. Arrivederci e grazie.
- Grazie a voi. Arrivederci.

4. Completa lo schema con le preposizioni articolate.

Chiavi:

	il	lo	l'	la	i	gli	le
a	al	allo	all'	alla	ai	agli	alle
da	dal	dallo	dall'	dalla	dai	dagli	dalle
di	del	dello	dell'	della	dei	degli	delle
in	nel	nello	nell'	nella	nei	negli	nelle
su	sul	sullo	sull'	sulla	sui	sugli	sulle

5. Le stagioni.

Chiavi: 1 primavera, 2 autunno, 3 estate, 4 inverno.

Notare che l'autunno inizia da calendario il 21 settembre, ma in Italia, anche al nord in pianura, il mese di ottobre può essere ancora molto caldo ed è solo verso la fine del mese di ottobre che si comincia a sentire l'arrivo della stagione più fredda. Al sud, poi, la stagione fredda comincia ancora più tardi e dura poco.

6. Le date italiane.

Chiavi:

12/10/2009	12 ottobre 2009
2/6/1946	2 giugno 1946
16/10/2010	16 ottobre 2010
1/5/2008	1 maggio 2008
31/7/2009	31 luglio 2009
25/4/1945	25 aprile 1945
25/12/2011	25 dicembre 2011
1/9/2012	1 settembre 2012
1/11/1999	1 novembre 1999
27/2/2010	27 febbraio 2010
3/3/2003	3 marzo 2003
15/8/2009	15 agosto 2009

7. Alcune delle date nella tabella sopra sono feste o date importanti per l'Italia: quali?

Chiavi:
1 maggio: festa del lavoro, dei lavoratori
2 giugno 1946: nasce la Repubblica italiana
25 aprile 1945: fine della guerra
15 agosto: ferragosto
1 novembre: festa dei santi (e dei morti, anche se questa è il 2 novembre)
25 dicembre: Natale.

8. Scrivi gli anni di alcune delle date che vedi sopra.

Chiavi:
1945: millenovecentoquarantacinque
1999: millenovecentonovantanove
2003: duemilatré
2012: duemiladodici.

9. Completa usando *venire, dire* oppure *dovere*.

Chiavi: 1 venire, 2 dire, 3 devo, 4 dobbiamo, 5 dico, 6 vengo, 7 vengono, devono, 8 deve dire, 9 vieni, 10 devi.

10. Inserisci la preposizione semplice o articolata.

Chiavi: 1 da, 2 a, 3 da, alla, 4 al, da, 5 dal, a, in, alla, 6 in, in, 7 in, in, 8 a, al.

PERCORSO 4

Questo quarto Percorso, dopo il consolidamento effettuato con il Percorso 3, di cui si riprendono e approfondiscono i temi culturali relativi alla vita quotidiana e alla famiglia, dà un contributo fondamentale in senso temporale: mentre nel terzo Percorso si lavorava molto sulle nozioni di spazio, essenziali per *descrivere* una cosa, una realtà, qui lavoreremo sulle nozioni di tempo, essenziali per *narrare* un evento, il succedersi delle azioni.

Sul piano grammaticale, dove gli obiettivi sono molti, come si vede dalla sinossi, un elemento essenziale è costituito dall'impostazione dei verbi riflessivi.

| Percorso 4

Unità 10
Ogni giorno!

Unità 11
Casalinghe e casalinghi

Unità 12
Cosa si mangia? | - chiedere e dire l'ora
- indicare la frequenza
- parlare delle azioni e abitudini quotidiane

Approfondimenti e ripasso:
- concordare, dissociarsi
- scusarsi
- usare le date | - avverbi di frequenza
- *bello/buono* e loro modifiche
- dimostrativi
- partitivi
- preposizioni: *da* e *in* con le date; *andare* + *a* o *in*
- verbi irregolari: *uscire, volere, bere*
- verbi riflessivi | - azioni della vita quotidiana
- ruoli sociali: casalinghi e casalinghe
- cucina italiana, abitudini nutrizionali e culinarie
- misure di capacità e peso
- trascorrere la serata |

UNITÀ 10: OGNI GIORNO!

LEZIONE 19: CHE FATICA ALZARSI

1. Cosa fanno le persone nelle foto?
Chiavi: Si alzano, tornano da scuola, cenano.

2, 3. Abbina le attività con le parti del giorno.
Chiavi:

Mattina: si svegliano, si alzano, si lavano, fanno la doccia, fanno colazione, vanno a lavorare, pranzano.
Pomeriggio: escono da scuola, finiscono di lavorare.
Sera: cenano, guardano la televisione, vanno a letto.
La parte del giorno che viene richiesta nello spazio a pie' di pagina è *notte*.
L'es. 3 può portare a far uscire conoscenze da parte di uno o più studenti che l'insegnante può giudicare utili per tutta la classe. In questo caso, può invitare gli studenti a inserire i nuovi termini nella tabella.

4, 5, 6 e 7. Ascolta il dialogo. (CD 2 TRACCE 11, 12 E 13)
Non c'è una risposta netta e certa alla domanda "Martina è contenta della sua nuova vita?" perché non ci sono elementi specifici che descrivano le emozioni di Martina. Quest'ambiguità è voluta. Crediamo infatti che sia ormai possibile chiedere agli studenti di spiegare il perché delle loro risposte ricercando nel testo gli elementi a supporto. In questo caso durante il primo ascolto gli studenti si interrogheranno e probabilmente non arriveranno a trovare una risposta, ma articoleranno le loro idee in modo inferenziale. Nell'attività 6 quando hanno la possibilità di leggere e ascoltare il dialogo, possono cercare le ragioni della risposta all'es. 3. Spesso sia gli studenti che i docenti si sentono un po' spiazzati quando non si trova nel testo la risposta esatta, ma qui la scelta metodologica è dettata dal fatto che questo dialogo deve servire a far ragionare su quanto sia importante rendersi consapevoli dei processi di comprensione, ad esempio delle ipotesi che vengono formulate sulla base di quanto si ascolta o legge e della loro validazione. È un modo di lavorare per processi ("come lo sai che Martina è contenta della sua vita spagnola?") e non per prodotti (Martina è contenta? Sì/No.) che caratterizza molte attività di *Italiano: pronti, via!*.

Chiavi dell'es. 5: alzarsi, svegliarsi, andare a letto, andare al lavoro, cenare, fare colazione, pranzare.

8. Leggi nuovamente il dialogo e completa le frasi.
Lo scopo è far scoprire che le ore sono introdotte dalla preposizione *a:*
A che ora finisci di lavorare?
Finisco alle 10.

9, 10. Ascolta come si dice l'ora in italiano e ripeti. (CD 2 TRACCE 14 E 15)
Far notare le 5.40 (6 meno venti), le 9.45 (10 meno un quarto), mezzogiorno, mezzanotte.
Italiano: pronti, via! sposa la filosofia dell'essenzialità: essenziale è ciò che serve a un determinato livello di competenza linguistica per comunicare. Qui non si richiede allo studente che conosca tutti i modi per esprimere l'ora, quindi non viene data importanza alle varianti 5 e 40, 9 e tre quarti, ecc. È importante che lo studente sappia riconoscere le diverse possibilità, ma in fase produttiva è essenziale che ne conosca una.

11. Osserva le frasi e completa la regola.
Per chiedere l'ora si dice: che ore sono?
Per rispondere si dice: sono le... / è l'una.
Tra l'ora (*due*) e i minuti (*cinque*) c'è "e".
Con l'ora c'è sempre l'articolo "le" e il verbo è plurale.
Ma con "una" c'è l' e il verbo è singolare.
Sono le 4 e 40 = Sono le 5 **meno** 20.

Sono le 4 e un quarto.

Sono le 8 e mezza.

Sono le 9 e tre quarti / le 10 meno un quarto.

Con *mezzogiorno* e *mezzanotte* non c'è l'articolo e il verbo è singolare.

Si usa la preposizione semplice *a* nella domanda e con mezzogiorno e mezzanotte, la preposizione articolala *all'* e *alle* con i numeri.

12. Completa la tabella.

Nei verbi riflessivi c'è la particella pronominale.

svegliarsi		
(io)	mi	sveglio
(tu)	ti	svegli
(lui, lei)	si	sveglia
(noi)	ci	svegliamo
(voi)	vi	svegliate
(loro)	si	svegliano

13. Cerca nel dialogo dell'attività 6 i verbi riflessivi.

Chiavi:

1 Stefania: Ma sono le 11! A che ora ti alzi di solito?

2 Martina: Vuoi dire a che ora vado a letto. A Madrid i giovani vanno spesso a letto molto tardi. E io, quando posso, mi sveglio tardi, a mezzogiorno o anche all'1. Poi di pomeriggio studio un po' e di sera vado a lavorare.

3 Martina: Alle 10. Poi a volte esco con gli amici, ma soprattutto corro a mangiare. Alle 10 ho sempre una fame terribile. Non riesco a cenare alle 10 e mezza di sera. Non mi abituo all'idea! Se faccio colazione all'1 o alle 2 di pomeriggio, poi non pranzo e…

14. Completa lo schema con le parole del riquadro.

Chiavi: mai, quasi mai, raramente, a volte, di solito, spesso, sempre.

UNITÀ 10: OGNI GIORNO!

LEZIONE 20: LE AZIONI QUOTIDIANE

---

1. Abbina i disegni ai verbi. Quali disegni mancano?

Chiavi: 1 si sveglia, 2 si alza, 3 si lava, 4 si prepara, 5 fa colazione, 6 esce di casa, 7 pranza, 8 fa la doccia, 9 cena (si noti l'orologio ed il fatto che inizia il TG, il telegiornale), 10 va a letto.

Mancano: comincia a lavorare, guarda la tv.

2, 3. Ascolto. (CD 2 TRACCIA 16)

La prima attività serve alla sintonizzazione con il tema, senza risposte obbligate; può essere occasione di discussione sul "perché".

Trascrizioni:

Lucia: Allora, io mi sveglio di solito alle 7, non faccio mai colazione, mi preparo ed esco alle 7,30 circa. In autobus arrivo in banca in 15 minuti se tutto va bene. Pronta per cominciare alle 8. Sempre così tutti i giorni, di tutte le settimane. Non è facile la vita, vero?

Silvio: Questa settimana comincio a lavorare alle 6 di mattina. Troppo presto! Di sera vado a letto al massimo alle 11 per svegliarmi alle 5. Fortunatamente per arrivare al lavoro in ospedale ci metto dieci minuti da casa mia. A volte devo lavorare di notte. Una settimana sì e una no, comincio alle 2 di pomeriggio e così non riesco mai a prendere il ritmo giusto! Per caso non hai un amico che ha un altro lavoro per me? Vorrei davvero cambiare vita!

Maria: La parte più bella della giornata è la sera. Ceno presto, poi metto in ordine tutto e guardo la televisione spesso fino alle 2 di notte. Così, di mattina mi alzo spesso tardi, alle 11, a mezzogiorno…. Si sta proprio bene in pensione!

Antonio: Da quando sono in pensione ogni giorno è diverso. A volte mi sveglio alle 6, esco presto con Asso, il mio cane per fare una lunga passeggiata, diciamo alle 7. Ma spesso resto a letto, mi alzo verso le 9 e Asso deve aspettare per la sua passeggiata. La cosa che faccio sempre anche adesso che sono in pensione è pranzare all'1. Non so, all'1 ho sempre una fame da lupo. Diventare vecchi non è bello ma essere in pensione…

Chiavi:

	si sveglia alle	si alza alle	fa colazione alle	si prepara alle	esce alle	comincia a lavorare alle	pranza alle	cena alle	va a letto alle
Lucia	7 di solito		Non fa mai colazione		7,30	8			
Silvio	5					6 o 14 o di notte			11
Maria		11 o 12							2 spesso
Antonio	6 a volte	9 spesso			7 a volte		1 sempre		

4. Ascolta nuovamente le persone. Sono contente della loro vita? (CD 2 TRACCIA 17)
Chiavi:
Lucia: no, perché dice che la vita non è facile e che i giorni sono sempre uguali.
Silvio: no, perché preferisce cambiare lavoro e cambiare vita. Non riesce mai a prendere il ritmo dei turni di lavoro. Deve svegliarsi troppo presto una settimana sì e una no.
Maria: sì, perché è in pensione e può guardare la tv fino alle 2 di notte.
Antonio: sì, perché è in pensione e tutti i giorni sono diversi. Può rimanere a letto fino alle 9 se vuole.

5, 6. Ora scrivi quattro frasi sulla tua vita di tutti i giorni come nell'esempio. Tre sono vere e una è falsa.
Lo scopo dell'attività è fornire un'occasione autentica, non semplicemente "scolastica" di usare l'italiano. Il fatto che si crei la possibilità di indovinare qual è la frase falsa, aumenta l'interesse comunicativo. Se si vuole, si può trasformare l'attività in una gara.

7, 8. Secondo te, com'è la vita di questa persona? Scegli la parola che ti sembra giusta e metti l'ora. (CD 2 TRACCIA 18)
Le risposte possono variare. Questo è il testo della registrazione, che offre solo uno dei tanti modelli possibili di completamento del dialogo:
Faccio il pediatra. I miei pazienti sono bambini dagli 0 ai 14 anni. Mi sveglio sempre alle 7. Alle 8 cominciano a telefonare i genitori per chiedere consigli o una visita. Alle 9 di solito esco per andare a casa dei pazienti. In inverno, quando ci sono molti casi di influenza, non riesco quasi mai a pranzare. Alle 3 di solito visito i bambini nel mio studio. Raramente finisco di lavorare alle 6. Prima di cena, diciamo alle 6.30, a volte vado in piazza a bere un aperitivo e a fare due chiacchiere con i miei amici.

9. Sai che se non conosci tutte le parole di un testo puoi spesso indovinare il significato grazie al testo stesso?
Come abbiamo ripetuto più volte, l'inferenza è una delle chiavi della comprensione e molte delle attività di questo manuale si basano su testi di cui è impossibile che gli studenti conoscano tutte le parole, anche se è altrettanto possibile intuire il significato dal contesto e a partire dalla propria conoscenza del mondo.

10. Prova a intervistare il dott. Protti.
Chiavi: 1 A che ora si sveglia? 2 A che ora fa colazione? 3 A che ora esce di casa? 4 A che ora finisce di lavorare? 5 Torna a casa a pranzo? 6 A che ora finisce di lavorare? 7 A che ora cena? 8 A che ora va a letto?

Fonologia

11, 12. Ascolta e ripeti le parole. (CD 2 TRACCIA 19)

I parlanti settentrionali pronunciano "zucchero" con la /z/ sonora, mentre in italiano standard la /z/ all'inizio delle parole "zucchero" e "zio" è sorda.

Le parole sono: abbastanza, canzone, conversazione, dizionario, grazie, indirizzo, lezione, piazza, pizza, marzo, ragazzo, polizia, stanza, stazione, vacanze, zona, zucchero.

13. Ora ascolta e scrivi nella colonna giusta le parole che senti. (CD 2 TRACCIA 20)

/z/	/zz/
grazie, lezione, zona	pizza, ragazzo

VITA ITALIANA

A differenza delle letture di civiltà del percorso 3, che vedevano delle domande alla conclusione del testo e in funzione comparativa tra l'Italia e gli altri paesi, qui troveremo spesso anche delle domande di sensibilizzazione da affrontare prima di leggere il testo: discutendo tra studenti si crea una forte banca lessicale che facilita poi la lettura.

L'esercizio 1 della sezione "Approfondimenti", come già nel Percorso 3, è spesso dedicata a domande di comprensione o a riflessioni linguistiche basate sulla lettura.

APPROFONDIMENTI

1. Completa queste frasi con la lettura della pagina precedente.

Chiavi:

1 La sera i "vecchi" di solito guardano la televisione (dopo cena).

2 I giovani invece di solito vanno al bar con gli amici (o vanno a casa di uno di loro se i genitori sono fuori).

3 Se si vuole vedere un film si può guardarlo in DVD o in televisione, oppure si va in un multisala, cioè un cinema dove ci sono molte sale con film diversi.

4 Se in discoteca si beve troppo poi è possibile fare un incidente automobilistico.

2. Sono le...

Chiavi: otto; nove e venti; due e venti (del pomeriggio) (le quattordici e venti); undici; quattro e mezza (del pomeriggio) (le sedici e trenta); tre e dieci.

3. *Sono le...* in questo caso hai due modi di dirlo.

Chiavi: nove e quaranta / le dieci meno venti; undici e quarantacinque / mezzogiorno meno un quarto; tre e cinquanta / quattro meno dieci.

4. Immagina di essere un ragazzo italiano. Scrivi a che ora fai queste cose.

Risposte abbastanza libere.

5. Metti in ordine dal più frequente al meno frequente queste parole.

Chiavi: 1 sempre, 2 spesso, 3 di solito, 4 a volte, 5 raramente, 6 quasi mai, 7 mai.

UNITÀ 11: CASALINGHE E CASALINGHI

LEZIONE 21: QUANTA FATICA IN CASA!

1, 2, 3, 4. Ascolta il dialogo e rispondi alle domande. (CD 2 TRACCE 21 E 22)
Lo scopo della prima attività è quello di far emergere lo stereotipo del maschio latino che dorme mentre la moglie casalinga fa le faccende; la realtà italiana, soprattutto nelle regioni industriali, è molto diversa, come si vedrà nella lettura di civiltà a pag. 106. Il dialogo è riportato all'es. 7.

Sono le 11, è sabato e Maurizio legge la lista delle cose da fare.
Il foglio completo è questo:

	Mattina	Pomeriggio
Maurizio deve	pulire bene la casa, spolverare, passare l'aspirapolvere, lavare i pavimenti, riordinare.	lavare i piatti pulire bene la cucina
Giovanna deve	andare al supermercato preparare il pranzo.	stirare

5, 6, 7 e 8. Abbina le foto alle parole. (CD 2 TRACCIA 23)
L'es. 5 serve per dare il lessico per il 6:
1 arrabbiato, 2 sorpreso, 3 felice, 4 stanco.
Gli es. 7 e 8 concludono il lavoro sul dialogo.

Riflessione sulla lingua
Quello indica qualcosa vicino o lontano da chi parla? Lontano.
Mentre *questo* indica qualcosa vicino o lontano da chi parla? Vicino.

9. Competa le frasi con un dimostrativo.
Chiavi:
1 Questi dischi sono tuoi, vero?, 2 Quel bambino è tuo figlio?, 3 Guarda quella moto. È bellissima., 4 Questo è il bilancio di quest'anno., Nella frase del ragazzo *questo* e *quello* di riferiscono alla parola *libro*.

10. Completa le frasi con un dimostrativo.
Chiavi: 1 quel, quello, 2 questa, 3 questa, 4 questa, questi/quelli, 5 quella, 6 quel.

11. Guarda il disegno e le frasi. Poi completa la regola.
Si può far notare che *bello* funziona come *quello*, che si trasforma in *quel*, cioè funziona come l'articolo *il*.
Buono funziona come l'articolo *un*.

12. Metti la forma corretta di *buono* o *bello*.
Chiavi:
1 un buon panino, 2 una bella piazza, 3 un buono studente, 4 una buon'/bell'amica, 5 un bell'appartamento, 6 una bell'/buon'idea.

13. Metti al plurale.
Chiavi:
1 due buoni panini, 2 due belle piazze, 3 due begli/buoni studenti, 4 due buone/belle amiche, 5 due begli appartamenti, 6 due buone/belle idee.

UNITÀ 11: CASALINGHE E CASALINGHI

LEZIONE 22: PER CHIEDERE SCUSA

1,2, 3. Lettura.
Nell'es. 2, approfittare della domanda "sono simili?" per attivare una discussione in classe.
Nell'es. 3 manca il lunedì.
Chiavi: lunedì, martedì, mercoledì, giovedì, venerdì, sabato, domenica.

4, 5, 6. Ascolto. (CD 2 TRACCE 24 E 25)
Trascrizione:
- Risponde la segreteria telefonica di Maurizio. Puoi lasciare un messaggio dopo il beep.
- Grazie del bel biglietto, caro! Sfortunatamente non è la prima volta che succede dall'inizio dell'anno e io sono molto stanca. Tu lavori sempre: dal lunedì al venerdì e durante il fine settimana dormi. Ho due settimane di ferie e vado in montagna con i miei amici. Quanti ne abbiamo oggi? Ne abbiamo 16? Ci vediamo il primo giugno! Ah, prendo l'aspirapolvere come regalo. Quando ritorno, mi insegni come funziona, d'accordo? Ciao Amore.

7. Osserva la frase e completa la regola.
Sono tutte e tre vere.

8. Completa le frasi con *a, in, da* dove necessario.
Chiavi: 1 in, da, 2 da, in, 3 in, 4 niente, 5 in, a, 6 da, alla.

9. Il cruciverba dei lavori di casa.

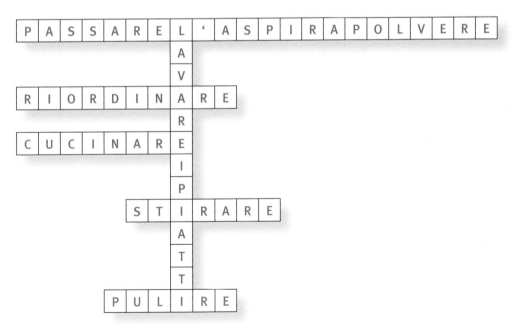

10, 11. Maurizio è preoccupato.
Risposte libere, adatte poi a una discussione tra compagni.

VITA ITALIANA

Questa lettura risponde alla domanda implicita nella prima attività dell'unità 11; è introdotta da una serie di stimoli per richiamare l'attenzione sul tema e si conclude con una serie di domande per confrontare le realtà italiana e straniera; l'es. 1 nella pagina a fronte lavora su 4 parole trovate nel testo chiedendo di dare una definizione, da confrontare poi eventualmente con il dizionario.

APPROFONDIMENTO

1. Spiega chi sono queste persone.

Chiavi:

1 Casalingo/a: un uomo o una donna che fa i lavori di casa.

2 Badante: una donna, spesso immigrata, che sta con le persone anziane e malate.

3 Single: un uomo o una donna che vive da solo.

4 Colf: una "collaboratrice famigliare", cioè una donna che aiuta a fare i lavori di casa.

2. *Bello*. Inserisci la forma corretta.

Chiavi:

un bel ragazzo	un ragazzo bello	una bella ragazza
un bell'uomo	dei begli uomini	delle belle donne
dei bei ragazzi	delle donne belle	degli uomini belli.

3. *Buono*. Inserisci la forma corretta.

Chiavi:

un buon ragazzo	un ragazzo buono	una buona ragazza
un buon uomo	degli uomini buoni	delle buone persone.

4. *Questo*. Inserisci la forma corretta.

Chiavi:

questo ragazzo	questa ragazza
quest'uomo	questi uomini
queste donne	quest'automobile

Il mio libro è questo.
La tua penna è questa.
I suoi libri sono questi.
Le mie matite sono queste.
Le loro gomme sono queste.
I suoi fogli sono questi.

5. *Quello*. Inserisci la forma corretta.

Chiavi:

quel ragazzo	quella ragazza
quell'uomo	quegli uomini
quelle donne	quell'automobile

Il mio libro è quello.
La tua penna è quella.
I suoi libri sono quelli.
Le mie matite sono quelle.
Le loro gomme sono quelle.
I suoi fogli sono quelli.

6. Inserisci i giorni della settimana.

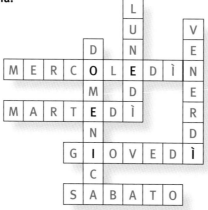

UNITÀ 12: COSA SI MANGIA?

LEZIONE 23: IL CIBO IN ITALIA

1, 2. Cosa mangiano gli italiani?

Si tratta di domande di sintonizzazione con il tema e di verifica delle preconoscenze o degli stereotipi. Sul piano cognitivo permettono di attivare i meccanismi che consentiranno una migliore comprensione del testo dell'attività 2.

Chiavi:

Sono vere le affermazioni 2, 5, 6, 7.

Sono false le affermazioni 1, 3, 4, 8.

3. Come si chiamano questi cibi in italiano?

Chiavi: verdura, carne, olive, frutta, mozzarella (notare che sono due le mozzarelle e che si usa il plurale).

4, 5, 6 e 7. Ascolta il dialogo. Quale ricetta preparano Carlo e Claudia? (CD 2 TRACCE 26 E 27)

Il primo esercizio serve a condividere quanto più lessico si può e allo stesso tempo serve a cercare di creare curiosità attorno all'ascolto. Se qualche studente indovina che i due prepareranno delle lasagne, è bene non dire che quella è la risposta giusta e tenere anche quella come una delle risposte possibili.

Trascrizione del dialogo registrato, a sinistra, e di quello dell'es. 6 con l'indicazione delle differenze; nella seconda versione del dialogo, quello per l'es. 6, compare la parola "lasagne", che nella prima versione era coperta da un beep.

- Carlo, domani è sabato!	- Carlo, domani è sabato!
- Sì, lo so; ma perché sei così agitata?	- Sì, lo so ma perché sei così agitata?
- Non ti ricordi? Domani vengono Luca e Virginia a cena.	- Non ti ricordi? Domani vengono Luca e Virginia a cena.
- È vero. Cosa prepariamo?	- È vero. Cosa prepariamo?
- Perché non facciamo …..?	- Perché non facciamo le lasagne?
- Buon'idea. Così non abbiamo bisogno di fare il secondo.	- Buon'idea. Così non abbiamo bisogno di fare <u>il primo.</u>
- No, facciamo anche un secondo, magari leggero, di verdure con un po' di formaggio.	- No, facciamo anche <u>un primo</u>, magari leggero, di verdure con un po' di <u>salume</u>.
- Allora, di cosa abbiamo bisogno? Io scrivo…	- Allora, di cosa abbiamo bisogno? Io scrivo…
- Pomodori freschi…	- Pomodori freschi…
- Quanti?	- Quanti?
- Fai 6 pomodori grossi e maturi. Poi, voglio mezzo chilo di carne macinata, del parmigiano, delle cipolle, dell'aglio, delle carote, del sedano, del latte, della farina, del burro, dell'olio…	- Fai <u>10</u> pomodori grossi e maturi. Poi, voglio un chilo di carne macinata, del parmigiano, delle cipolle, dell'aglio, delle carote, del sedano, del latte, della farina, del burro, <u>dell'acqua…</u>
- Di tutte queste cose in casa abbiamo solo l'olio e le cipolle, mi sembra.	- Di tutte queste cose in casa abbiamo solo l'olio e le cipolle, mi sembra.
- Poi, abbiamo bisogno di alcuni peperoni, melanzane, patate, no, le patate no, zucchini… per fare la verdura alla griglia e poi 2 etti di gorgonzola, 2 etti di pecorino, 2 di un formaggio fresco, cremoso, scegli tu. E poi qualche altro formaggio se vuoi. Ah, e ovviamente due scatole di pasta per ….………………...	- Poi, abbiamo bisogno di alcuni peperoni, melanzane, patate, no, le patate no, zucchini… per fare la verdura <u>fritta</u> e poi <u>3</u> etti di gorgonzola, 2 etti di pecorino, <u>uno</u> di un formaggio fresco, cremoso, scegli tu e poi qualche altro formaggio se vuoi. Ah, e ovviamente due scatole di pasta per le lasagne.
- Dolce, frutta…?	- Dolce, frutta…?
- Abbiamo della frutta buona in casa, quella biologica di tuo zio. E Paola fa il dolce.	- Abbiamo della frutta buona, in casa quella biologica di tuo zio. E Paola fa il dolce.
- E cosa beviamo? Abbiamo del buon vino bianco in casa, ma Luca non beve il vino bianco.	- E cosa beviamo? Abbiamo del buon vino <u>rosso</u> in casa, ma Luca non beve il vino <u>rosso</u>.
- E neanche Paola. Vedi tu, prendi della birra e una bottiglia di vino rosso.	- E neanche Paola. Vedi tu, prendi della <u>coca</u> e una bottiglia di vino <u>bianco</u>.
- Ottimo, domani mattina vado a fare la spesa.	- Ottimo, domani mattina vado a fare la spesa.

8. Sempre a coppie dite come si chiamano i cibi che vedete nelle foto.

Ci si riferisce alle foto in basso a pag. 108.

Riflessione sulla lingua

Quanto parmigiano e quanti biscotti vuole Carlo? Lo sappiamo? No.

(io)	voglio
(tu)	vuoi
(lui, lei)	vuole
(noi)	vogliamo
(voi)	volete
(loro)	vogliono

(io)	bevo
(tu)	bevi
(lui, lei)	beve
(noi)	beviamo
(voi)	bevete
(loro)	bevono

9. Completa la tabella con le parole del dialogo dell'attività 6.

del/dello/della/dell'	dei/degli/delle
parmigiano, aglio, sedano, latte, farina, burro, acqua, frutta, vino, coca	cipolle, carote

10. Completa le frasi con l'articolo...

Chiavi: 1 della, una, 2 dell', del, 3 del, dell', 4 della, dello, 5 un, un, 6 degli, 7 una, una, una, 8 una.

11. Sei d'accordo o no?

Chiavi: 1 Io no, anch'io. 2 Anch'io, io no. 3 Anch'io, io no. 4 Neanch'io, io sì. 5 Neanch'io, io sì. 6 Neanch'io, io sì.

12. Lavora con un compagno.

Esercizio libero di fissazione lessicale attraverso la memoria visiva.

UNITÀ 12: COSA SI MANGIA?

LEZIONE 24: MANGIARE SANO

1. Cruciverba per vegetariani.

2. La frutta fa bene alla salute! Abbina le immagini alle parole.
1 pera, 2 mela, 3 arancio (si trova anche la forma "arancia"), 4 melone, 5 fragola, 6 uva, 7 cocomero (si dice anche "anguria"), 8 ciliegia, 9 pesca, 10 limone, 11 albicocca.

Crucivera (soluzione):
- ZUCCHINO
- MELANZANA
- CAVOLFIORE
- POMODORO
- PEPERONE
- FUNGO
- SEDANO
- INSALATA
- CAROTA
- PATATA
- AGLIO

4. Se non vuoi essere vegetariano cosa puoi mangiare?
Risposte libere.

5. Leggi il testo e completa la piramide.
Per completare la piramide, occorre inserire i termini che si trovano nella lettura. Attenzione che i paragrafi sono rovesciati, cioè il primo paragrafo riguarda la base della piramide. I grassi vanno assunti con moderazione.

6. Ci sono cose che compriamo in modo diverso. Prova a completare la tabella.
I concetti sono quelli di capacità (litri, ad esempio con il latte), peso, prodotti sfusi e prodotti in scatola; in alcune culture le spese si fanno diversamente, quindi l'insegnante dovrà intervenire se sa che ci sono delle differenze.

7. Lavora con due compagni e parlate delle vostre abitudini alimentari. Completate la tabella.
Esercizio libero, in cui ciascuno privilegia alcuni aspetti.

Fonologia

8, 9. Ascolta e ripeti le parole. (CD 2 TRACCIA 28)

10. Ascolta e scrivi le parole nella colonna giusta. (CD 2 TRACCIA 29)

/mm/ /nn/	/m/ /n/
donna, panna, penna, anno, gomma, nonno	mano, meno male, pena, pane, piano, cenare, persona, limone, settimana

VITA ITALIANA

In questa pagina gli stimoli introduttivi sono sia di comparazione sia di confronto su quello che gli studenti sanno o immaginano dell'Italia. Molto probabilmente non hanno idea della progressiva introduzione di ristoranti con le varie cucine del mondo, venute insieme agli oltre 4 milioni di immigrati.

L'es. 1 della pagina a fronte riguarda la comprensione di questo testo e l'es. 2 propone un'attività di scrittura.

APPROFONDIMENTI

1. Trova queste informazioni nel testo sulla cucina internazionale in Italia.

Chiavi:

1 Ci vanno soprattutto i giovani.

2 La prima è che sono economici e la seconda è il gusto della varietà.

3 Si può prendere un panino fatto con pane arabo oppure un kebab.

4 La *nouvelle cuisine* perché ha piatti piccoli, combinazioni strane, è "falsa".

3. Completa con i verbi *volere* e *bere*.

Chiavi:

1 Se voglio bere qualcosa di fresco, mi siedo al bar con gli amici e ordino una birra, ma se poi voglio tornare a casa in macchina non bevo alcolici.

2 Certi ragazzi vogliono solo ubriacarsi, non gli importa quello che bevono, basta che sia alcolico!

3 Lui è diverso, non vuole ubriacarsi, quindi beve solo latte.

4 "Vuoi un panino?". "Grazie, voglio solo qualcosa da bere: è da due ore che non bevo un bicchiere d'acqua. Con questo caldo!".

4. Inserisci il verbo *volere* seguito dal partitivo *del, dello/a/e, dei, degli*.

Chiavi:

1 Lo so che tu vuoi del vino, ma ti fa male!

2 Io voglio solo delle uova e del formaggio, nient'altro.

3 Scusate, come contorno volete degli zucchini o del cavolfiore?

4 Quei due vogliono sempre delle arance, non prendono altra frutta.

5 Volete della zuppa di fagioli o della pasta al pomodoro?

5. Giocate a coppie, con un dado...

Questa tecnica giocosa può essere usata per qualunque aspetto grammaticale o lessicale. La proponiamo in questa occasione ma l'insegnante può riutilizzarla ovunque.

6. Inserisci *chilo, etto, bicchiere* oppure *litro* in queste frasi.

Chiavi: 1 bicchiere, litro; 2 litro, etti; 3 litri; 4 chilo; 5 bicchiere.

AUTOVALUTAZIONE DEL PERCORSO 4

1. Cosa fanno gli italiani ogni giorno? Completa le frasi.

Chiavi:

Al mattino gli italiani si alzano abbastanza presto, si fanno la doccia e poi fanno colazione e vanno al lavoro oppure a scuola. A mezzogiorno pranzano con un panino, poi quando finiscono di lavorare tornano a casa e cenano tra le 8 e le 9. Poi i giovani vanno al bar con gli amici mentre i genitori spesso restano a casa e guardano la televisione.

Nel mio paese la gente si alza abbastanza ..., fa colazione con ... e poi va al lavoro; a mezzogiorno ..., poi torna a casa più o meno alle ...; la sera, nel mio paese si cena alle ... e poi i giovani vanno...

2. Scrivi queste ore.

Chiavi: le otto (in punto); le nove e venticinque; le undici e mezza; le undici e quaranta / venti alle dodici (a mezzogiorno) / le dodici meno venti; le tredici (l'una del pomeriggio) e quarantacinque / due meno un quarto; le diciassette (le cinque del pomeriggio) e cinquanta / le sei meno dieci.

3. Completa questi verbi.

Chiavi:	svegliarsi	uscire
io	mi sveglio	esco
tu	ti svegli	esci
lui	si sveglia	esce
noi	ci svegliamo	usciamo
voi	vi svegliate	uscite
loro	si svegliano	escono

4. Metti la forma corretta di *buono* o *bello*.

Chiavi:	*bello*	*buono*	
un	bel	buon	ragazzo
una	bella	buona	casa
dei	begli	buoni	uomini
delle	belle	buone	ragazze
un	bello	buono	studente
una	bell'	buon'	idea
un	bell'	buon	amico
una	bell'	buon'	amica
un	bel	buon	panino

5. Completa con le preposizioni *di, da, a, in*.

Chiavi: 1 da; 2 da; 3 in; 4 a; 5 da; 6 a; 7 in, a; 8 in, a; 9 in; 10 in.

6. Completa con le preposizioni *di, da, a, in* nella forma articolata.

Chiavi: 1 in, dal; 2 al, a; 3 nel, al; 4 alle, al; 5 a, da nel.

7. Va' in negozio e ordina queste cose; indica la quantità: *etti, chili, litri*.

Chiavi: 1 chili; 2 litri; 3 etti; 4 chili; 5 litri; 6 chili; 7 etti; 8 litri.

8. Dove si mangia in Italia e nel tuo paese.

Chiavi:
1 In Italia non si va solo al ristorante italiano ma anche in ristoranti etnici.
2 In Italia, per un pasto veloce, si può scegliere un panino o un kebab.
3 In Italia a colazione si prende di solito caffè e latte (è possibile una risposta più ampia).
4 Gli italiani non amano la nouvelle cuisine francese.
5 Nell'Italia del Nord la gente cena/mangia verso le 8 di sera, al Sud invece verso le 9-9.30.
6 Dopo cena, i genitori di solito restano a casa e guardano la televisione, mentre spesso i giovani escono e vanno al bar (è possibile una risposta più ampia).

PERCORSO 5

La prima e la terza unità di questo Percorso si raccordano a quanto fatto nel precedente, la seconda a quanto visto sulla casa nel Percorso 3: questi due raccordi indicano che il Percorso 5 è dedicato essenzialmente al consolidamento di quanto appreso finora, per non sovraccaricare cognitivamente gli studenti mentre si affronta un fondamentale elemento nuovo, l'uso del passato prossimo. L'uso del passato è una conquista essenziale per lo studente, che comincia a poter dare spessore diacronico alla sua competenza in italiano. Questo percorso costituisce un passaggio graduale al livello A2.

| Percorso 5

Unità 13
Al ristorante

Unità 14
Città o campagna?

Unità 15
Fare la spesa | - esprimere la quantità
- offrire e accettare (cibi e bevande)
- ordinare in un negozio, chiedere e dire il prezzo
- raccontare cose avvenute in passato usando il passato prossimo

Approfondimenti e ripasso:
- esprimere preferenze | - avverbi, locuzioni, espressioni del passato e per la quantità
- numerali ordinali
- passato prossimo, participio passato dei verbi regolari e di alcuni irregolari
- pronomi personali diretti (in particolare con *avere*)
- *tutto* + e

Approfondimenti e ripasso
- numerali usati con le date
- *volere* forma di cortesia | - albergo
- città e campagna
- negozi, supermercati, prezzi
- ristorante, agriturismo

Approfondimenti:
- cibi e pasti |

UNITÀ 13: AL RISTORANTE

LEZIONE 25: CHE COSA MANGIAMO OGGI?

1. Dove vorresti mangiare? Con un compagno parla delle tue preferenze.
Questa attività riprende gli atti comunicativi relativi all'espressione dei propri gusti che abbiamo affrontato nel Percorso 3.

2. Ascolta la prima parte del dialogo. Secondo te, in quale ristorante sono le persone che parlano? (CD 2 TRACCIA 30)
Sono in un ristorante tradizionale, non in una pizzeria o in un ristorante *fast food*.
Trascrizione:

Lei:	Bello quello posto, vero? Ma com'è pieno!	*Lei:*	Il mio menù è in inglese…
Lui:	Sì, è nuovo… chissà se il cuoco è bravo.	*Lui:*	E il mio è in tedesco… Ah no, se lo giri, dietro c'è l'italiano.
Lei:	Cosa vorresti mangiare?		
Lui:	Ho molta fame ma vorrei sapere cosa fanno…	*Lei:*	È vero. Che fame!
Lei:	Ecco il cameriere… Cameriere, scusi…	*Lui:*	C'è un menù turistico da 35 euro, ma senza vino.
Cameriere:	Buongiorno. Volete ordinare?		
Lei:	Beh, vorremmo vedere il menù prima di ordinare…	*Lei:*	Fanno la pizza?
		Lui:	Ma dai, no, non è una pizzeria.
Cameriere:	Scusate, ecco il menù. Torno fra pochi minuti.		

3, 4. Lavorate a coppie. Com'è il cameriere, secondo voi?
Si tratta di esercizi di approfondimento lessicale relativo alle caratteristiche delle persone.
L'aggettivo che manca nell'es. 4 è: occupato.

Chiavi:

positivo	negativo
gentile	scortese
attento	distratto
efficiente	inefficiente
simpatico	antipatico

5, 6, 7. Ascolta la seconda parte del dialogo. (CD 2 TRACCE 31 E 32)
Chiavi:

	lei	lui
antipasto		antipasto di mare
primo	risotto	pasta al ragù
secondo	verdura alla griglia	insalata mista
dolce	mousse al cioccolato	
frutta		
da bere	caffè acqua minerale naturale vino bianco	caffè vino bianco

8. Quali di questi ingredienti contiene il Risotto alla Pippo?
Chiavi: funghi, asparagi, prosciutto crudo, parmigiano; il risotto contiene anche gamberetti, che non sono inseriti nel disegno per creare un elemento di disparità; l'insegnante può chiedere qual è l'ingrediente mancante.

9. Ascolta due frasi della prima parte della conversazione e completa. (CD 2 TRACCIA 33)

Riprendere queste due battute dall'ascolto dell'attività 2:

Lei: Il mio menù è in inglese…

Lui: E il mio è in tedesco…

Cosa noti?

Cosa c'è dopo il possessivo *il mio* nella prima frase? Un nome.

Cosa c'è dopo il possessivo *il mio* nella seconda frase? Niente.

10. Completa le frasi con un possessivo.

Chiavi:

1 - Che bella casa! È vostra o è in affitto?

  - È nostra.

2 - Di chi sono quei pantaloni? Sono di Maurizio?

  - No, non sono suoi.

3 - Guarda, sulla mia pizza c'è l'origano. Sulla tua, no.

  - Lo so, la mia non è una margherita.

4 - È questa la macchina di Luca?

  - No, la sua è quella. Questa è di Cecilia.

11. Cerca in quest'unità le forme che mancano e completa la tabella.

(io)	vorrei
(tu)	vorresti
(lui, lei)	vorrebbe
(noi)	vorremmo
(voi)	vorreste
(loro)	vorrebbero

12. Scrivi i numeri ordinali.

Chiavi: terzo, quarto, quinto, sesto, settimo, ottavo, nono, decimo, undicesimo, dodicesimo, tredicesimo, quattordicesimo, ventesimo, trentatreesimo, settantatreesimo, centesimo, millesimo.

UNITÀ 13: AL RISTORANTE

LEZIONE 26: DA BERE?

1, 2. Antipasti, primi piatti, secondi piatti, dolci.
Servono per rafforzare il lessico, ma può essere anche uno spunto per una conversazione sulla cucina italiana.

Antipasti

Antipasto del cacciatore
(salumi misti e carni affumicate)
Tagliata di vitello
(vitello, rucola, parmigiano e olio d'oliva)
Antipasto di mare
(pesce fresco misto)
Asparagi e parmigiano
(asparagi, parmigiano e aceto balsamico)
Prosciutto e melone

Primi Piatti

Tagliatelle con carciofi e prosciutto
(carciofi, prosciutto, vino bianco, burro)
Pasta gamberi e panna
(gamberi, panna, vino bianco)
Risotto ai funghi e speck
(cipolla, vino bianco, funghi, speck)

Secondi Piatti

Filetto al pepe verde
(Filetto di manzo con una salsa a base di pepe verde e vino bianco)
Cavallo al naturale
(carne di cavallo macinata cruda con olio d'oliva, limone, sale)
Coniglio alla cacciatora
(coniglio, aglio, cipolle, carote, sedano, olio, pomodoro)
Cervo all'uva
(filetto di cervo con salsa al succo d'uva)

I dolci

Torta di frutta della casa
Gelato misto
Dolce del giorno
Frutta di stagione

Ristorante Mamma Oca
Menù vegetariano

Spaghetti pomodoro e basilico
(pomodoro, cipolla, basilico)
Trenette al pesto alla genovese
(aglio, olio d'oliva, basilico, pecorino, parmigiano)
Tortelli verdi
(ricotta, uovo, spinaci, parmigiano reggiano, burro)
Tagliatelle al pomodoro
(pomodoro, basilico, cipolla, parmigiano, olio d'oliva)

Formaggi misti
(gorgonzola, pecorino, parmigiano)
Mozzarella e pomodoro

Insalata mista
(pomodori, finocchio, mais, lattuga, radicchio, carote)
Verdura alla griglia
(melanzane, peperoni, zucchine)
Spinaci al burro
Ananas al rum
Fragole con panna

3. Secondo te, come finisce una buona mangiata al ristorante? (CD 2 TRACCIA 34)

Trascrizione:

Lui:	Che mangiata!
Lei:	Davvero! Chiediamo il conto?
Lui	Cameriere, scusi…
Cameriere:	Sì?
Lui	Vorremmo il conto per favore.
Cameriere:	Certo. Torno subito!
Cameriere:	Ecco qua.
Lui	Possiamo pagare con la carta di credito?
Cameriere:	Sì, accettiamo tutti i tipi di carte di credito.
Lui	Benissimo.
Cameriere:	Volete qualcosa per finire? Un liquore?
Lui	Per me una grappa, per favore.
Cameriere:	E per lei?
Lei:	Per me niente. Grazie.
Lui	Il ristorante è davvero molto buono. Il conto un po' meno: 73 euro.
Lei:	Scherzi?
Lui	No, guarda qua…

Chiavi: 1 falso, 2 vero, 3 falso, 4 falso, 5 vero.

4. Ascolta nuovamente il dialogo e rispondi alle domande. (CD 2 TRACCIA 35)

Chiavi:

Vorremmo il conto per favore.

Possiamo pagare con la carta di credito?

5, 6. Al Ristorante M i magri. A gruppi di tre create una conversazione tra cameriere e clienti.

Risposte libere.

7. Completa le frasi con le forme corrette di *tutto*, l'articolo ed *e* dove necessario.

Chiavi:1 tutti i, 2 tutte e, 3 tutte le, 4 tutti i, 5 tutti i, 6 tutti e.

8, 9. Ora sai che cosa puoi mangiare in Italia e soprattutto sai dirlo in italiano. Ma quante parole conosci per il bere?

Sono due attività lessicali su cui l'insegnante può fare molto lavoro, facendo mettere insieme le bevande elencate dai singoli studenti.

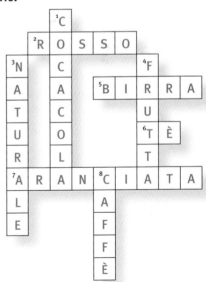

VITA ITALIANA

Si possono commentare anzitutto le foto chiedendo agli studenti chi conosce queste paste e questi due tipi di carne. Dall'alto, ci sono: tortellini, ravioli, spaghetti, farfalle (normali, con spinaci, con rape rosse, con farina integrale: per questo hanno vari colori), orecchiette pugliesi, risotto, pasticcio, maccheroni.

La cucina è uno degli elementi caratterizzanti delle identità regionali (e anche provinciali) italiane, e quindi questa lettura ne mette in evidenza il ruolo.

Nelle domande a pie' di pagina si chiede di produrre uno scritto, ma prima è meglio svolgere l'es. 1 della pagina a fronte per verificare la comprensione.

APPROFONDIMENTI

1. Di che cosa parla il testo alla pagina a fronte?

Chiavi: 1 cucina, lingua.

2 Vogliono conservarle.

3 La differenza tra le regioni italiane.

2. Il carattere delle persone.

Chiavi: cortese / scortese; efficiente / inefficiente; simpatico / antipatico.

3. Scrivi i numeri ordinali.

Chiavi: primo, secondo, terzo, quarto, quinto, sesto, settimo, ottavo, nono, decimo, sedicesimo, ventesimo, ventunesimo, ventitreesimo.

4. Completa le frasi con le forme corrette di *tutto* + *articolo* oppure *e*.

Chiavi: 1 tutti i, 2 tutti e, 3 tutti i, 4 tutte e, 5 tutte le.

5. Completa il verbo *volere* usato come forma di cortesia.

Chiavi: vorrei, vorresti, vorrebbe, vorremmo, vorreste, vorrebbero.

Unità 14: Città o campagna

LEZIONE 27: IN UN AGRITURISMO

1. Guarda le foto. Secondo te, dov'è questo agriturismo?

È in campagna, in Toscana: lo si vede non solo dallo stile della costruzione, ma dal paesaggio con i cipressi.

2. Leggi il testo e rispondi alle domande.

Chiavi: 1 Perché ha bisogno di una stanza. 2 Per tre notti. 3 L'agriturismo è pieno per la terza notte. 4 C'è un hotel vicino all'agriturismo che può ospitare Ferrero.

3, 4, 5, 6 e 7. Ascolta il dialogo. (CD 2 TRACCE 36, 37 E 38)

Trascrizione:

Giorgio Ferrero: Buongiorno, sono Giorgio Ferrero, ho prenotato una camera per oggi e domani e poi per il due...

Giuliano Mancino: Ah sì, Sig. Ferrero, benvenuto! Sono Giuliano Mancino. Avete fatto un buon viaggio?

Giorgio Ferrero: Sì, grazie, tutto a posto. Un po' lungo, ma non abbiamo trovato molto traffico, per fortuna.

Giuliano Mancino: Siete partiti da Torino, vero? Quanti chilometri sono da Torino?

Patrizia: Circa 600.

Giuliano Mancino: Accidenti, sono molti! Avete già mangiato, posso offrirvi un caffè, un tè?

Giorgio Ferrero: No, grazie; abbiamo mangiato un panino in autostrada.

Patrizia: Per me sì, un caffè per favore.

Giuliano Mancino: Allora, prima però vorrei i vostri documenti...

Giorgio Ferrero: Ecco qua la mia carta d'identità e quella di Patrizia.

Giuliano Mancino:	C'è una buona notizia. Ho una stanza libera anche per il 2 maggio. È una doppia con bagno. Dovete però cambiare dalla 1 a pianterreno, che è una doppia solo con doccia così come avete chiesto, alla 4 al primo piano.
Patrizia:	Che bello, sono davvero contenta!
Giuliano Mancino:	Preparo il caffè. Se volete portare le valigie in camera, queste sono le chiavi. La camera è la prima a sinistra, proprio lì.

Chiavi dell'es. 5: 1 vero, 2 falso, 3 falso, 4 falso, 5 falso, 6 falso.

8. Cerca nella conversazione dell'attività 7 le parole per completare le frasi.
Chiavi: 1 Ho prenotato una camera per oggi e domani. 2 Avete fatto un buon viaggio? 3 Non abbiamo trovato molto traffico, per fortuna. 4 Siete partiti da Torino, vero? 5 Abbiamo mangiato un panino in autostrada.

9. Ora, a coppie, cercate altri verbi come questi nella pagina precedente.
Chiavi: abbiamo ricevuto, ho trovato, abbiamo collaborato, ha scritto, sono arrivati, avete indovinato, hanno trovato
Il passato prossimo ha due parti: *essere* (<u>sono</u> *arrivato*) o *avere* (<u>ho</u> *mangiato*) al presente, seguiti dal participio passato: *mangi<u>ato</u>, ricev<u>uto</u>, part<u>ito</u>*.

10. Completa lo schema con i participi passati, regolari o irregolari.
Chiavi:

Detto, fatto, letto, scritto, tradotto.	Scelto, scoperto.
Messo, smesso.	Stato.
Perso, corso.	Andato, ascoltato, comprato.
Preso, speso.	Dovuto, saputo, voluto.
Rimasto, risposto, visto.	Pulito, riuscito, sentito.

UNITÀ 14: CITTÀ O CAMPAGNA

LEZIONE 28: CHE BELL'ALBERGO!

1, 2. Sei arrivato nell'albergo che vedi nella foto.
Risposte libere. L'esercizio è propedeutico all'ascolto che segue ed è abbastanza difficile, quindi non bisogna stupirsi se gli studenti trovano delle difficoltà: dire loro che non importa, che è previsto e che vedranno a fine lezione che hanno imparato quel che serviva loro per completare.

3, 4, 5. Ascolta la conversazione. (CD 2 TRACCE 39 E 40 35)
Trascrizione del dialogo; abbiamo usato "tu" per le battute che precedentemente doveva scrivere lo studente, per facilitare l'identificazione:

Receptionist:	Buongiorno.
Tu:	Buongiorno. Ho una prenotazione per due notti.
Receptionist:	Come si chiama?
Tu:	George Sullivan.
Receptionist:	Come scusi, può dirmi come si scrive il cognome?
Tu:	S-U-L-L-I-V-A-N.

Receptionist:	Un momento che cerco la sua prenotazione nel computer. Allora… Scusi come ha prenotato?
Tu:	Ho prenotato via Internet la settimana scorsa.
Receptionist:	Ah, capisco e che tipo di camera ha prenotato?
Tu:	Una singola con bagno.
Receptionist:	Ecco qua. Sì, è questa. Molto bene. Però non dice che tipo di trattamento ha scelto. Vuole solo il pernottamento o la mezza pensione?
Tu:	Il pernottamento include la colazione?
Receptionist:	Sì. Il pernottamento include la colazione.
Tu:	È possibile pranzare qui?
Receptionist:	No, il ristorante a pranzo è chiuso. La mezza pensione comprende la cena.
Tu:	Allora va bene il solo pernottamento.
Receptionist:	Benissimo, allora. Due notti, solo pernottamento. Mi dà un documento per favore?
Tu:	Ecco la mia carta d'identità.
Receptionist:	Queste sono le chiavi della stanza. È la 342 al terzo piano. Può prendere l'ascensore in fondo al corridoio. Ha bisogno di un facchino per il bagaglio?
Tu:	Sì, grazie.
Receptionist:	Benissimo, arriva subito. A che ora desidera svegliarsi domattina? La colazione è dalle 6.30 alle 9.30.
Tu:	Alle 7 per favore.
Receptionist:	Quando esce le restituisco la sua carta d'identità.
Tu:	D'accordo, grazie.

6. Leggi e completa l'sms con un verbo del riquadro. Attento: i verbi devono essere al passato prossimo.

Chiavi: Sono arrivato in hotel. Il viaggio è andato bene, ho trovato un incidente e un po' di coda vicino a Firenze ma tutto a posto. Non ho avuto problemi con la prenotazione della camera. Ho già cenato. Andiamo a bere qualcosa o ci vediamo domani in ufficio?

7. Che giorno è oggi? Che ore sono? Completa la tabella con le indicazioni di tempo corrette.

La correttezza delle risposte dipende dal momento in cui si esegue l'esercizio.

8, 9, 10. Indica gli anni che senti. (CD 2 TRACCIA 41)

1 Sono nato il 16 ottobre 1963.
2 Mia figlia è nata il 25 aprile 2005.
3 Mi sono sposato nel 2001.
4 Ho finito l'università nel 1999.

5 Giuseppe Garibaldi è nato nel 1807.
6 Colombo è arrivato in America nel 1492.
7 Giulio Cesare è morto nel 44 a.C.
8 L'Impero Romano d'Occidente è finito nel 476 d.C.

Fonologia

11, 12. Ascolta e ripeti. (CD 2 TRACCIA 42)

13. Ascolta e scrivi le parole nella colonna giusta. (CD 2 TRACCIA 43)

/pp/ /bb/	/p/ /b/
abbastanza, appuntamento, cappuccino, gruppo, febbraio	abitare, nipote, piatto, possibile, bagno, tabella

VITA ITALIANA

Così come nella precedente pagina di civiltà, alla fine dell'unità 13, abbiamo accentuato la differenza regionale in ordine alla tradizione della cucina, qui, sia nelle foto sia nel testo, facciamo notare anche l'estrema varietà che si può trovare nelle città e nei paesi italiani.

Il primo esercizio della pagina a fronte verifica la comprensione.

APPROFONDIMENTI

1. Controlla se hai capito bene il testo a pag. 134.

Chiavi:

1 - grandi: Roma, Milano, Napoli,
  - medie: Torino, Bologna, Firenze, Bari, Palermo,
  - piccole: Venezia, Siena.

2 Indica la posizione in cui si trovano in questa cartina d'Italia.

3 Si intende che ci sono molte città, anche più di cento.

2. Inserisci i participi passati di questi verbi. Due verbi sono ripetuti: quali?

Sono ripetuti *essere* e *correre*.

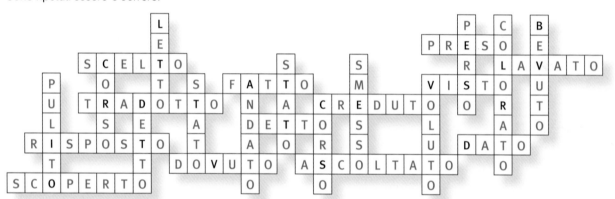

3. Inserisci *essere* o *avere*, come richiesto dai verbi di queste frasi.

Chiavi:

1 Ieri ho visto una casa in collina: è stata Angelica che mi ha detto di andare a vederla perché forse il padrone la vende.

2 Arrivare è stato difficile: ho perso la strada due volte, perché sono stradine piccole in mezzo al bosco.

3 Quando sono arrivata ho dimenticato subito lo stress della strada: d'improvviso ho visto la casa e ho pensato: "è la casa che ho sempre desiderato".

4 Poi è uscito un signore e la mia sorpresa è stata enorme: sai chi era? È il prof. Scalle, che è stato il mio preside negli anni in cui ho insegnato a Modena!

5 Ci siamo messi a ridere, abbiamo bevuto un bicchiere di vino e poi abbiamo cominciato a parlare di affari.

6 È stato facilissimo trovare l'accordo: e così ora puoi venire a passare il weekend da me!

4. Inserisci il participio passato, facendo attenzione alla concordanza.

Chiavi:

1 Patrizia è andata a vedere una casa in campagna.

2 Lì ha trovato il prof. Scalle, che è stato il suo preside.

3 Si sono messi a ridere, hanno bevuto un bicchiere e poi hanno parlato di affari.

UNITÀ 15: FARE LA SPESA

LEZIONE 29: IN UN NEGOZIO

1, 2. Guarda le foto e scrivi rapidamente il nome di cinque prodotti che puoi comprare in ognuno di questi negozi.
Attività propedeutica che serve a richiamare lessico della salumeria, della pasticceria, del panettiere e del fruttivendolo.
Confrontando le risposte dei vari studenti si trovano molte delle parole che poi appaiono nella lezione.

3, 4, 5, 6. Ascolto. (CD 2 TRACCE 44 E 45)
Trascrizione:

Signora Elena:	Adriana, buongiorno.
Panettiera:	Buongiorno, Signora Elena. Ecco il suo pane. L'ho già preparato. Mezzo chilo, come sempre. Poi cosa desidera?
Signora Elena:	Vorrei un chilo di farina e uno di zucchero.
Panettiera:	Deve fare una torta?
Signora Elena:	Sì, la torta di compleanno per mia nipote.
Panettiera:	Come la fa? Ha bisogno di altri ingredienti?
Signora Elena:	Sì, ho bisogno di un po' di cioccolato e di una bustina di lievito. E poi vorrei anche mezzo litro di latte.
Panettiera:	Guardi il latte è nel frigorifero dietro di lei. Lo può prendere se vuole. Nient'altro?
Signora Elena:	Sì, dei biscotti. Quelli soliti. Ce li ha?
Panettiera:	No, mi dispiace, ma ho dei biscotti nuovi. Sono molto buoni.
Signora Elena:	Quanto costano?
Panettiera:	Come gli altri.
Signora Elena:	Dove sono?
Panettiera:	Li trova lì, di fianco al frigorifero. Nient'altro?
Signora Elena:	No, grazie, è tutto. Quant'è?
Panettiera:	Dunque, il pane 1 euro e 80, poi il latte, mezzo litro, 77 centesimi, poi la farina, il lievito e i biscotti. Sono 5 euro e 85.
Signora Elena:	Ecco 10 euro.
Panettiera:	Ed ecco il suo resto: 4 e 15 e lo scontrino. Arrivederci e grazie.
Signora Elena:	Prego. Arrivederci.

7. Come ha pagato la Signora Elena? Scrivi il nome corretto sotto le immagini. Una parola del riquadro non c'entra.
Manca lo scontrino, che non è uno strumento di pagamento.

8. Osserva le frasi e poi cercale nella conversazione dell'attività 4. A cosa si riferiscono le parole sottolineate?
Chiavi: 1 il pane, 2 la torta, 3 il latte, 4 i biscotti, 5 i biscotti.

9. Completa le risposte.
Chiavi: 1 l', 2 l', 3 la, 4 le, 5 li, 6 l', lo.

11. Rispondi alle domande.
Chiavi: 1 No, non ce l'ho. 2 No, mi dispiace, non ce l'ho, 3 Ce le avete, 4 Sì, ce l'ho.

12. Metti in ordine queste parole: *niente, molto, abbastanza, un po', nessuno, alcuni.*
Chiavi: +++ molto, ++ abbastanza, + un po', alcuni, 0 niente, nessuno

UNITÀ 15: FARE LA SPESA

LEZIONE 30: AL SUPERMERCATO

1. Al supermercato ci sono anche altri prodotti. Abbina le immagini con le parole del riquadro.
Chiavi: 1 spazzolino da denti, 2 dentifricio, 3 rasoio, 4 carta igienica, 5 scopa, 6 shampoo, 7 deodorante, 8 schiuma da barba, 9 detersivo per i piatti, 10 detersivo per lavatrice, 11 crema, 12 sapone.

2. Ascolta i valori delle monete e delle banconote e indica in che sequenza li senti. Quali mancano? (CD 2 TRACCIA 46)
Chiavi: sequenza 10 centesimi, 1 euro, 10 euro, 50 centesimi, 100 euro, 20 euro, 20 centesimi, 500 euro, 5 euro;
       mancano 1, 2, 5 centesimi, 2 euro, 50 euro, 200 euro.

3. Ascolta le conversazioni e scrivi i prezzi che senti. (CD 2 TRACCIA 47)
Questi sono i testi dei dialoghi:
1 Buongiorno. Vorrei un'informazione per favore. Quanto costa un biglietto di solo andata Bologna-Firenze con l'Eurostar?
In seconda classe, 17 euro.

2 Allora, in tutto sono 24 euro e 80.
Ecco qua. Pago con il bancomat.

3 Scusi quanto costano quei pantaloni che avete in vetrina?
Sono in saldo, con uno sconto del 30%: 108 euro.

4 Nuova, con tutti gli optional, il modello della Bravo che piace a lei costa 22 800 euro.

4, 5, 6. Quanto costa? Lavora con un compagno.
Si tratta di spunti per la conversazione che possono essere poi allargati ad altri oggetti, ad esempio cose contenute nelle borsette delle studentesse.

7. Completa lo schema.

Fonologia

8, 9. Ascolta e ripeti. (CD 2 TRACCIA 48)

10. Ascolta e scrivi nella colonna giusta le parole che senti. (CD 2 TRACCIA 49)

/b/	/v/
possibile, disponibilità, banca	livello, nuovo, provare, ricevere, scrivere

VITA ITALIANA

Il tradizionale negozio "sotto casa" sta sparendo, in Italia come in gran parte d'Europa – con tutta una serie di problemi che vengono affrontati in questa lettura, cui fa riferimento anche l'es. 1 della pagina a fronte.

APPROFONDIMENTI

1. Racconta la storia dei negozi italiani.

Varie risposte possibili; tra queste, le più probabili sono:

Chiavi:

1 Nella tradizione la gente ha sempre fatto la spesa nei negozi sotto casa, dove ci conoscono bene.

2 Negli anni Ottanta sono nati i supermercati dove le cose costano meno e sono tutte nello stesso posto.

3 I supermercati si sono poi trasformati in ipermercati costruiti in periferia, con grandi parcheggi.

4 Negli ultimi anni sono nati i centri commerciali, dove si trovano supermercati, banche, uffici, cinema, ecc.

2. Inserisci i pronomi *lo, la, l', li e le*.

Chiavi: 1 l'; 2 lo; 3 la, le, li; 4 lo, la; 5 l'; 6 le.

In questo esercizio risulta importante sottolineare come in italiano i pronomi atoni vengono spesso ripetuti quando l'oggetto, la persona o l'azione a cui fanno riferimento viene espressa all'inizio della frase: "al supermercato le cose raffinate non le trovi certo". Questo uso è quanto mai comune anche se non accettabile in registri di scrittura elevati. Rispecchia però il modo di parlare degli italiani oggi. È dunque importante che questo uso sia riconosciuto dagli studenti. Tuttavia, non lo abbiamo inserito nel corso delle lezioni ma solamente negli approfondimenti, perché in chiave produttiva è un aspetto linguistico troppo difficile per gli studenti a questo livello.

3. Inserisci l'espressione di qualità.

Chiavi: Alcune risposte alternative sono possibili; queste le più probabili:

2 ho molti amici, 3 ho pochi soldi, 4 ho poca fame, 5 so poco l'inglese, 6 ho visto tutto, 7 ho molto tempo, 8 ho pochi problemi, 9 ho molti problemi, 10 ho capito poco.

4. Gioco di coppia. Fate 4 foglietti, con il numero da 1 a 4, piegateli, mescolateli.

Questa attività, come quella dei dadi che abbiamo visto nel percorso 4, può essere utilizzata per ogni tipo di struttura morfologica e per il lessico.

AUTOVALUTAZIONE DEL PERCORSO 5

1. Al ristorante.

Varie risposte possibili; questa è una di quelle probabili.

Tu:	Buonasera.
Cameriere:	Buonasera; può sedersi vicino alla finestra.
Tu:	Bene. Mi dà il menù, per favore?... Oh, questo è in inglese!
Cameriere:	Mi scusi! Ecco il menù in italiano.
Tu:	Vedo primi e secondi... ci sono anche pizze?
Cameriere:	Sì, ma è un altro menù.
Tu:	Non mi serve vederlo: vorrei una pizza alla napoletana.
Cameriere:	Bene, arriva tra dieci minuti. Cosa vuole da bere?
Tu:	(risposta imprevedibile), per favore.
Cameriere:	La porto subito.
Tu:	Grazie. Scusi, dove è il bagno?
Cameriere:	(risposta imprevedibile).
Tu:	Grazie.

2. Scrivi i primi dieci numeri ordinali italiani.
Chiavi: primo, secondo, terzo, quarto, quinto, sesto, settimo, ottavo, nono, decimo.

3. Completa le frasi con le forme corrette di *tutto*, l'articolo ed *e* dove necessario.
Chiavi: 1 tutti i, 2 tutti e, 3 tutte le, 4 tutti i, 5 tutte e.

4. Rispondi come nell'esempio, al passato.
Chiavi:
2 (Io) l'ho prenotato ieri.
3 (Ce) li ho messi ieri.
4 (Io) le ho lette ieri.
5 Maria li ha fatti ieri.

6 Noi l'abbiamo mangiato poco fa.
7 (Io) l'ho bevuto poco fa.
8 (Io) l'ho comprato ieri.

5. Fa' il passato di questi verbi come nell'esempio.
Chiavi: 2 ho fatto, 3 ho letto, 4 ho scritto, 5 ho messo, 6 sono andato, 7 ho perso, 8 ho dovuto, 9 sono venuto, 10 sono stato, 11 ho avuto, 12 ho ascoltato, 13 sono rimasto, 14 ho preso, 15 sono riuscito.

6. Scrivi in lettere, non in numero, gli anni.
Chiavi: 1 millequattrocentonovantadue;
le altre sono risposte variabili.

7. Unisci ogni parola alla definizione corretta.

shampoo Serve per lavarsi i capelli	sapone Serve per lavarsi le mani	schiuma da barba Si mette sulla faccia prima di farsi la barba	rasio Serve agli uomini per tagliare la barba
deodorante Si usa dopo la doccia e serve per togliere gli odori	spazzolino Ci metti sopra il dentifrico e poi ti lavi i denti	dentifricio È un sapone per lavarsi i denti	detersivo Serve per lavare i vestiti oppure i piatti

8. Riscrivi queste frasi iniziando con "oggi"-
Chiavi: 1 vado, compro, 2 mi metto, 3 devo, 4 lavo, 5 faccio, 6 esco, 7 vado, 8 vengo, 9 finisco, 10 faccio.

PERCORSO 6

In questo Percorso si approfondisce e si rafforza l'uso del passato prossimo, iniziato nel Percorso 5, e gli si affianca un'altra struttura fondamentale per consentire la comunicazione, soprattutto in descrizioni e narrazioni:
la forma *stare + gerundio*.
Si riprendono anche i riflessivi focalizzando l'attenzione su un altro verbo chiave per l'espressione personale: *piacere*.

Percorso 6			
Percorso 6 Unità 16 *Tempo libero* Unità 17 *Che cosa ti piace?* Unità 18 *In vacanza*	- chiedere e dire quel che si sta facendo - chiedere e dare informazioni su vestiti, taglie, colori, ecc. - Esprimere ammirazione Approfondimenti e ripasso: - esprimere preferenze - esprimere ciò che piace e dispiace - narrare eventi passati	- gerundio - pronomi personali diretti e indiretti - *stare* + gerundio - verbo *piacere* Approfondimenti e ripasso: - accordo del participio passato - aggettivi di colore	- tempo libero - vacanze - vestiario, l'eleganza italiana

UNITÀ 16: TEMPO LIBERO

LEZIONE 31: CHE COSA STAI FACENDO?

1, 2, 3, 4. Ascolta le interviste ad alcune persone. (CD 2 TRACCE 50, 51, 52)

Dialogo 1: foto in basso a sinistra.
- Scusate, stiamo facendo un'intervista sul tempo libero degli italiani. Qual è la vostra attività preferita?
- Lo vede anche lei. Stiamo correndo all'aria aperta. È una cosa bellissima e fa bene alla salute!

Dialogo 2: foto grande.
- Buonasera, posso fare una domanda?
- Certamente.
- Cosa state facendo?
- Stiamo osservando le stelle.
- Per lavoro?
- No, è il nostro hobby.

Dialogo 3: foto piccola centrale.
- Alcuni anziani stanno giocando a carte in un bar… Proviamo a chiedere chi sta vincendo. Scusate, chi sta vincendo?
- Quei due lì, come sempre. Hanno una fortuna incredibile!

Dialogo 4: foto piccola a sinistra.
- Ciao, ragazzi. Posso fare una domanda? Venite qui spesso?
- Sì, abbastanza, almeno tre volte alla settimana.
- Anche in inverno, quando fa freddo?
- Quando pattiniamo non sentiamo il freddo e comunque in inverno andiamo alla pista di pattinaggio su ghiaccio.

Dialogo 5: foto in alto a destra.
- Ciao, posso chiedervi che foto state guardando?
- Sono le foto delle nostre vacanze in Sicilia.
- Posso vederle? Che bella questa! Siete dei bravi fotografi.
- Grazie, siamo dei dilettanti…

Chiavi dell'es. 3: 1 Correre, perché è bellissimo e fa bene alla salute. 2 Osservare/guardare le stelle. 3 Perché l'altra coppia di giocatori di solito vince e ha molta fortuna. 4 Vanno a pattinare sulla pista su ghiaccio. 5 Le foto delle loro vacanze in Sicilia. 6 No, sono dei dilettanti.

5. Osserva il disegno e rispondi alla domanda.
L'azione si sta svolgendo in questo momento.

6. Completa le frasi con un verbo del riquadro alla forma *stare* + il gerundio.
Chiavi: 1 stai facendo, 2 sta facendo, sta vivendo, sta lavorando, 3 stai leggendo, 4 state ascoltando, 5 sta parlando, 6 stiamo studiando, 7 stanno cenando, 8 sto dicendo, 9 sta andando.

7. Guarda i disegni. Cosa stanno facendo le persone?
Chiavi: 1 stanno guardando la televisione, 2 si stanno baciando, 3 Stanno nuotando, 4 stanno ballando.
Rimangono inutilizzati i verbi: cantare, bere, mangiare.

8. Fa' delle frasi con i verbi che rimangono.
L'interesse di questa attività sta nella fase di correzione in cui si vede se e come si è scatenata la fantasia degli studenti; si può sfidarli, prima di fare l'esercizio, a creare frasi "pazze".

9. Lavorate in gruppi di tre.
Anche questa attività può essere svolta come una sfida tra i gruppi migliori.

LEZIONE 32: DI SOLITO FACCIO...

1. Abbina i disegni alle parole del riquadro. Quali disegni mancano?

Chiavi: 1 raccogliere monete, 2 lavorare a maglia, 3 fotografare, 4 cantare, 5 andare a pesca, 6 raccogliere francobolli, 7 giocare ai videogiochi, 8 fare bricolage, 9 suonare uno strumento, 10 cucinare, 11 dipingere, 12 fare teatro, 13 fare trekking. Mancano: andare in bicicletta, fare sport.

2. Cosa fate durante il tempo libero? Intervista alcuni tuoi compagni per scoprirlo.

Questo esercizio rimette in gioco le azioni della pagina precedente ma se ne possono aggiungere altre; è importante il fatto che si deve passare dall'ascolto alla scrittura.

3. Che confusione! Con un compagno provate ad abbinare le coppie di aggettivi.

Chiavi: noioso / divertente, caro / a buon mercato, rilassante / stressante, facile / difficile, fisico / intellettuale.

4. Secondo voi, come sono le attività del tempo libero che vedi in questa pagina? Parla con un compagno e abbina un aggettivo del riquadro alle attività.

Serve per passare dalla lettura al parlato, introducendo nel frattempo i temi delle due letture.

5, 6, 7, 8. Secondo te, come passano il tempo libero gli italiani?

L'ordine può variare leggermente a seconda delle interpretazioni del testo; quanto alle risposte dell'es. 7, le chiavi sono: 1 falso, 2 vero, 3 falso, 4 falso, 5 falso, 6 falso, 7 vero.

9, 10. Conosci la tua insegnante o il tuo insegnante?

Questa attività si presta a essere condotta in maniera divertente, anche in forma di gara, per indovinare se quello che risponde l'insegnante corrisponde a verità.

Fonologia

11, 12. Ascolta e ripeti. (CD 2 TRACCIA 53)

13. Ascolta e scrivi nella colonna giusta le parole che senti. (CD 2 TRACCIA 54)

/b/	/p/
banca, abitare, buongiorno, mobile, sabato	possibile, esperienza, pomeriggio, pensione, penna

VITA ITALIANA

La riflessione sulle "brutte notizie sull'Italia" che si trova subito dopo la lettura è tale da poter suscitare un'interessante discussione; questa può anche essere condotta nella madrelingua degli studenti, per un maggiore coinvolgimento: deve risultare chiaro che questo manuale non vuole dare una visione edulcorata e stereotipica della realtà italiana. L'es. 1 nella pagina a fronte riguarda questa lettura.

APPROFONDIMENTI

1. Troppo tempo libero, niente tempo libero.

Le risposte sono libere come forma, ma i concetti sono semplici.

Chiavi:

1 Le donne che lavorano fanno in realtà un doppio lavoro.

2 Al Nord i lavori disponibili sono spesso troppo "umili" per giovani italiani istruiti (e con una famiglia che può mantenerli…).

3 Al Sud invece c'è difficoltà reale a trovare un posto di lavoro.

2. Completa le frasi con i verbi nel riquadro nella forma *stare + gerundio*.

Chiavi: 1 sto correndo, 2 sto facendo, 3 sto studiando, 4 sta guardando, 5 sto entrando, 6 sto cercando.

3. Completa con i verbi nel riquadro.

Chiavi: 1 stai mangiando, mangi; 2 stai guardando, guardare; 3 passo, sto facendo; 4 vediamo, stiamo andando; 5 studia, sta studiando.

4. Che cosa stai facendo?

Chiavi: 1 ho messo, sto cercando; 2 sto facendo, ho fatti; 3 sto scrivendo, ho (più) scritto; 4 ho (più) visto, è venuto, sto pensando; 5 ho saputo, sta seguendo.

Unità 17: Che cosa ti piace?

LEZIONE 33: CHE COSA TI METTI?

1, 2, 3. Quali dei vestiti sopra sono da uomo e quali da donna?

È un'attività di anticipazione lessicale; molti di questi lemmi dovrebbero già essere noti agli studenti.

4, 5. Che lavoro fai? Sei un avvocato o un taxista o…? Immagina di fare un lavoro senza dirlo ai tuoi compagni e scrivi una breve descrizione di come ti vesti.

Continua il lavoro lessicale, ma in questo caso il lessico viene usato attivamente.

6, 7, 8, 9 e 10. Ascolta l'intervista e prova a indovinare che lavoro fanno le due persone. (CD 3 TRACCE 1, 2, 3)

Come sempre, anche se i testi sono abbastanza complessi si inizia con attività semplici. L'insegnante può poi approfittare della trascrizione per fare lavori più approfonditi, adatti alla sua classe.

L'es. 8 introduce la riflessione grammaticale sui pronomi, che si trova all'attività 11.

Trascrizioni integrali:

Dialogo 1

Intervistatrice:	Allora Stella, ti posso fare alcune domande?
Stella:	Ma certo. Siamo qui per questo, vero?
Intervistatrice:	Ti vedo tutti i giorni e sei sempre così elegante… Ma mi sembra un po' stressante dovere sempre essere perfetti…
Stella:	Ti posso dire una cosa? Io non sopporto questo aspetto del mio lavoro. Non mi piacciono le uniformi di nessun tipo. Ma qui devo sempre essere elegante: un vestito oppure un tailleur, mai una volta con una maglietta. Poi devo stare attenta ai colori, perdo un sacco di tempo per pettinarmi e truccarmi.

Intervistatrice:	Ma c'è chi ti pettina e ti trucca o no?
Stella:	Una vera tortura. Prima di andare in onda c'è la preparazione che dura almeno mezz'ora. E quando devo leggere il telegiornale delle 8 del mattino sai a che ora devo alzarmi?
Intervistatrice:	Quando non lavori come ti piace vestirti?
Stella:	Una maglietta e un paio di jeans in estate. La stessa cosa in inverno ma con un maglione sopra… Questo è il massimo della vita per me!

Dialogo 2

Intervistatrice:	Ecco il nostro nuovo ospite. Benvenuto!
Professor Vecchi:	Grazie. Buongiorno.
Intervistatrice:	Le vorrei fare la stessa domanda che ho fatto a Stella. Come le piace vestirsi quando non lavora?
Professor Vecchi:	Le devo dire la verità? Sono un disastro con i vestiti, quando lavoro e quando non lavoro. Semplicemente non mi interessano. Mia moglie ormai non mi sopporta più. Secondo me, se esco ancora una volta con le calze di due colori diversi mi chiede il divorzio. Quando sono in casa sono sempre in tuta da ginnastica, con una felpa o una maglietta, un paio di pantaloni vecchi e basta.
Intervistatrice:	E quando va a lavorare?
Professor Vecchi:	Il problema vero è quando devo andare all'università o a fare una conferenza, non so mai come vestirmi. Soprattutto mi piace mettermi una giacca, ma non sopporto la cravatta. Non l'ho messa nemmeno quando mi sono sposato.

Chiavi es. 6: 1 giornalista televisiva, 2 professore dell'università.

Chiavi es.7:

1	Cosa le piace mettersi?	Cosa non le piace mettersi?
Stella	Una maglietta, un paio di jeans in estate e in inverno ma con un maglione sopra.	Le uniformi.

2	Cosa gli piace mettersi?	Cosa non gli piace mettersi?
Angelo Vecchi	Niente. Ma quando lavora una giacca.	La cravatta.

11, 12. Leggi nuovamente il dialogo. Capisci come usiamo in italiano i pronomi che hai scritto?
Si tratta della scoperta induttiva della posizione dei pronomi *mi, ti, si, ci, vi, gli*, che viene spiegata nell'es. 12.
La scelta di "gli" come pronome plurale al posto di "loro" è legato alla grammatica dell'uso oramai non solo orale ma anche scritto.

13. Trasforma le frasi. Usa i pronomi personali diretti e indiretti al posto delle parole in corsivo.
Chiavi:
2 Domani gli parlo della festa per il matrimonio di Luca.
3 Lo abbraccio sempre, quando lo incontro.
4 Questa mattina gli ho telefonato.
5 Ricorda che le dobbiamo dare le foto delle vacanze.

6 Per Natale i miei genitori ci hanno fatto diversi regali.
7 Questa sera le incontriamo al cinema.
8 Lino, domani vi chiamo per sapere come avete passato la Pasqua.

15. Completa le frasi con un pronome diretto o indiretto.
Chiavi: 1 le, 2 gli, mi, 3 le, le, 4 l', 5 le, 6 mi, vi, 7 lo, 8 li.

UNITÀ 17: CHE COSA TI PIACE?

LEZIONE 34: QUELLO CHE MI PIACE

1. Marco deve andare al matrimonio di due amici. Lavora con un compagno. Come si veste, secondo voi?

Domanda che pone in rilievo il fatto che anche il vestito è un linguaggio e che può essere informale (a sinistra), semiformale (al centro) o formale (a destra).

2, 3, 4 e 5. Marco sta comprando i vestiti per il matrimonio. Ascolta la conversazione. (CD 3 TRACCE 4, 5 E 6)

Chiavi es. 3:

non gli piacciono i vestiti interi, le cravatte, gli piacciono le tute da ginnastica. Gli piace abbastanza portare la giacca.

Trascrizione della seconda parte del dialogo:

Marco:	Come sto?
Commesso:	Come le sta bene la giacca! E anche i pantaloni mi sembrano perfetti. Vuole provare una cravatta?
Marco:	C'è uno specchio?
Commesso:	Sì, è lì. Le piace come le stanno?
Marco:	Mmm, se le devo dire la verità mi sento un po' ridicolo.
Commesso:	Perché? Secondo me, le stanno molto bene.
Marco:	Forse ha ragione lei. Non so…
Commesso:	Vuole sapere quanto costano?
Marco:	Sì, grazie.
Commesso:	Allora, la giacca costa 260 euro, la camicia 75, i pantaloni 110. In totale sono 445 euro.
Marco:	Non ci sono sconti o saldi?
Commesso:	No, i saldi non ci sono in questo periodo, però le faccio uno sconto del 10%. Il totale diventa 400 euro. Può pagare come crede, con bancomat, carta di credito, assegno, non ci sono problemi.
Marco:	Non lo so… Non sono convinto. Preferisco aspettare ancora qualche giorno.
Commesso:	D'accordo. Se vuole siamo sempre qui a sua disposizione.

6. Osserva le varie forme del verbo *piacere* nell'attività 3. Riesci a capire la regola?

1 Il soggetto è "le canzoni" cioè una parola plurale, quindi il verbo è al plurale.

2 Il soggetto è "Giuseppe Verdi" cioè un singolare quindi il verbo è al singolare.

7. Osserva le frasi e poi completa lo schema con le forme del verbo *piacere*.

Chiavi: io piaccio, tu piaci, lui/lei piace, noi piacciamo, voi piacete, loro piacciono.

8. Completa le frasi con il verbo *piacere* e un pronome.

Chiavi: 1 ti piace, 2 mi piace, 3 vi piace, 4 ci piacciono, 5 le piacciono.

9. Conosci i gusti dei tuoi compagni? Fa' delle domande alla classe e completa il questionario.

Esercizio aperto, che può portare a simpatiche discussioni in classe.

10. Come possono essere i vestiti? Prova a riempire gli schemi con parole che trovi in questa unità.

Ciascuno completa con quanto ha memorizzato e anche con quanto conosce di moda italiana.

11. Di quali materiali sono i vestiti? Abbina i disegni alle parole.

Chiavi: i simboli, da sinistra, indicano: seta, cotone, cuoio, lana, lino, sintetico.

Fonologia

12, 13. Ascolta e ripeti. (CD 3 TRACCIA 7)

14. Ascolta e scrivi le parole nella colonna giusta. (CD 3 TRACCIA 8)

/ttʃ/ /kk/	/tʃ/ /k/
accento, doccia, ecco, ghiaccio, macchina, piccolo, specchio, bicchiere	chiave, facile, cucina, difficile, richiesta, speciale, chiuso, medico, economia

VITA ITALIANA

Si può giocare molto in questa unità sul fatto che la moda italiana è considerata tra le più interessanti al mondo – e con nomi come Versace e Dolce & Gabbana anche tra le più trasgressive.

APPROFONDIMENTI

1. Il cruciverba della moda.
Alcuni marchi comprendono la parola completa, quindi basta trascriverli. L'attività è volta semplicemente a ricordare famosi marchi di stilisti.

2. Usa il pronome diretto prima del verbo...
Chiavi: 2 ti, 3 la, 4 lo, 5 ci, 6 vi, 7 li.

3. Usa il pronome indiretto prima del verbo...
Chiavi: 2 ti, 3 le, 4 gli, 5 ci, 6 vi, 7 loro/gli (fare attenzione alle due diverse costruzioni).

4. Sostituisci *amare* con *piacere* e riscrivi correttamente le frasi...
Chiavi: 2 ti piace, 3 non le piace, 4 gli piacciono, 5 non ci piace, 6 vi piace, 7 a loro piacciono, 8 mi piacciono, 9 mi piace, 10 ci piace.

UNITÀ 18: IN VACANZA

LEZIONE 35: DOVE VAI IN VACANZA?

1, 2. Guarda le foto e completa il programma di viaggio di Eleonora e Manuela. Usa le parole del riquadro.

Chiavi: Alitalia, Marocco, aeroporto, Rabat, hotel, pomeriggio, città, sveglia, colazione, parti, fino, Marrakech, cena, visita, partenza, deserto, arrivano, giorno, tre, vita, ritorno, scoprire, partenza, Italia, arrivo.

3, 4, 5. Secondo te, a Manuela e a Eleonora sono piaciute le vacanze? Ascolta la conversazione.
Hai indovinato? (CD 3 TRACCE 9 E 10)

La trascrizione è nell'attività 5. Chiavi dell'es. 4: 1 Sono state nel deserto. 2 Moltissimo. 3 Tutto! 4 Il primo giorno. 5 Tè alla menta, dolci, 6 Muore dalla voglia di un *tajin* (o una *tagine*, a seconda delle varianti).

6. Quale di queste frasi contiene una regola nuova?

Chiavi: 3 Sì, moltissimo. L'abbiamo visitata il primo giorno.

7. Sostituisci le parole in corsivo con un pronome (*lo, la, l', li, le*). Attenzione al participio passato!

Chiavi: 1 Non le ho mai ascoltate. 2 Non li ho mai visti. 3 L'anno scorso sono stato in vacanza in Sicilia. L'ho trovata meravigliosa. 4 Perché non l'hai comprato? 5 Cosa dici? Non le ho prese io!

8. Rispondi alle domande. Usa un passato prossimo e un pronome (*lo, la, l', li, le*).

Chiavi: 1 No, non l'ho ancora visto. 2 Sì, li ho appena finiti. 3 No, non l'ho mai provata, ma mi hanno detto che è squisita. 4 Davvero, sono belle? Io non le ho mai visitate. 5 No, io non l'ho vista e non l'ho presa. 6 No, li ho messi sul tavolo e ora non li trovo.

9. Ancora un po' di geografia. Abbina le immagini alle parole del riquadro.

Chiavi: 1 villaggio, 2 regione (Lombardia), 3 paese (stato, nazione), 4 città (Roma), 5 paese/paesino.

UNITÀ 18: IN VACANZA

LEZIONE 36: CHE COSA FAI IN VACANZA?

1, 2, 3. Introduzione alla lezioni.

Attività finalizzate a sintonizzare gli studenti con il tema della lezione.

Chiavi es. 2: 1 mare, 2 montagna, 3 città d'arte, 4 campagna, 5 lago.

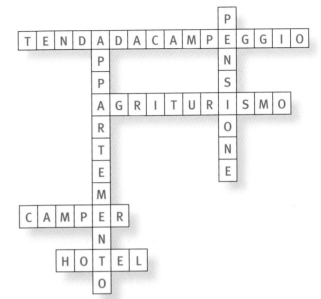

4. Che confusione!...

mare	montagna	città
spiaggia	passeggiata	monumento
sabbia	albero	chiesa
passeggiata	lago	passeggiata
acqua	neve	opera d'arte
pesci	sciare	freddo
palma	freddo	caldo
sole	sole	sole
caldo	acqua	neve
freddo	pesci	acqua
barca	barca	fiume
ombrellone	fiume	lago
		palma

5, 6. Gli italiani amano molto viaggiare, in Italia e all'estero.

Sono attività finalizzate a usare oralmente e per iscritto il lessico che è stato trovato precedentemente e a riprendere il verbo "piacere".

7, 8, 9, 10 e 11. Ascolto. (CD 3 TRACCE 11 E 12)

Trascrizione completa:

Rebecca: Marta, fai un altro bagno?

Marta: Perché no?

Rebecca: Sai, Marta, quando Giorgio, il mio ragazzo, mi ha proposto di venire qui a Saturnia, mi sono messa a ridere! Gli ho detto: "Secondo te, a me piace una vacanza in una piscina di acqua calda con uno che ti fa i massaggi e poi all'1 un pranzo a base di insalata e frutta?".
"Beh, per un paio di giorni lo puoi fare anche tu…". Mi ha risposto lui.
Sono venuta qui solo perché Giorgio è così stanco che ha davvero bisogno di riposare.

Marta: Ma fino a ora com'è andata la vacanza?

Rebecca: Mi sono innamorata di questo posto! Mi sento bene, mi diverto, mangio benissimo, anche se solo alla se-ra! E poi tutti e due ci siamo rilassati moltissimo in questi primi giorni. Vediamo come va il resto della settimana. E tu?

Marta: Oh, ormai io mi sono abituata a Saturnia e ai suoi ritmi. Vengo sempre almeno due volte all'anno.

Chiavi dell'es. 10: 1 mi ha proposto, 2 mi sono messa a ridere, 3 ha risposto lui, 4 sono venuta, 5 è andata, 6 mi sono innamorata, 7 ci siamo rilassati, 8 mi sono abituata.

12. Osserva le frasi poi completa la regola.
Chiavi:
- Mi sono messa a ridere!
- Mi sono innamorata di questo posto!
- Ci siamo rilassati moltissimo.
- Mi sono abituata a Saturnia e ai suoi ritmi.

Un verbo riflessivo al passato prossimo ha l'ausiliare *essere* e quindi bisogna fare l'accordo con il soggetto.

VITA ITALIANA

Si riprende in chiave culturale il tema delle vacanze; l'es. 1 della pagina a fronte insegna a raccogliere appunti su un testo.

APPROFONDIMENTI

1. Completa gli appunti sul testo sulle vacanze degli italiani.
Risposte libere.

2. La lotta tra verbi e pronomi.
È una delle tante attività ludiche che possono essere utilizzate per ogni tipo di regola grammaticale o di campo lessicale.
Chiavi: 1 sono andato, 2 mi sono messo a ridere, 3 è venuto, 4 è abituata, 6 ci siamo rilassati, 7 ha chiesto, 10 gli piace, 11 mi sono innamorato, 12 si innamorano, 13 si sono innamorati, 29 piace.

AUTOVALUTAZIONE DEL PERCORSO 6

1. Cosa ti piace fare? Completa il dialogo.
Risposte libere.

2. "Cosa stai facendo? Sto studiando italiano."
Chiavi: 1 stanno guardando, 2 stiamo andando, 3 sto scrivendo, 4 sta andando, 5 stanno aspettando.

3. Dove vanno i pronomi?
Chiavi:
1 Non gli ho mai detto che sono innamorata di lui.
2 Devo dirgli che lo amo.
3 Carla, mi telefoni stasera, dopo che gli hai detto che lo ami?!
4 Di' a Paolo che ho bisogno di parlargli.
5 Hai visto Gianna? Ho bisogno di vederla.
6 Sono stanco, ho bisogno di rilassarmi.
7 Questo è il cellulare di Marco! Gli puoi dire che ce l'ho io?

4. Usa i pronomi personali diretti e indiretti.

Chiavi:

1 Non ho il coraggio di dire ad Anna che la amo.

2 Domani vado da Gianni e gli chiedo un consiglio.

3 Gianni può spiegarmi come dirle che la amo.

4 Vado da lui e gli dico:

5 "Ho bisogno che tu mi dica come posso dirle che la amo".

5. Usa i pronomi personali diretti e indiretti.

Chiavi:

1 I miei amici ci hanno fatto un bellissimo regalo.

2 Domani li invitiamo a cena.

3 Jaime, vorremmo invitarvi a cena.

4 Ho detto a Jaime e Marisa che li vorremmo a cena, domani.

5 Sono triste… vado in quel negozio e mi regalo una gonna!

6. Crea coppie di frasi con il verbo *piacere*.

Chiavi:

2 A Carlo piace tantissimo Anna / gli piace tantissimo Anna.

3 Ad Angela piace poco studiare / le piace poco studiare.

4 A Fabio non piace il francese / non gli piace il francese.

5 A Michela piace abbastanza il latino / le piace abbastanza il latino.

6 A Michele non piace aspettare / non gli piace aspettare.

7. Sostituisci le parole in corsivo con *lo, la, l', li, le*. Attenzione al participio passato!

Chiavi:

1 Non li ho mai amati.

2 Li ho sempre guardati volentieri.

3 L'ho trovata meravigliosa.

4 Non le hai comprate.

5 L'ho presa io.

8. Rifletti sul… riflessivo.

Chiavi:

2 Lei si rilassa.

3 Io mi metto la camicia.

4 Tu ti lavi poco.

5 Voi vi mettete in fila.

6 Lei si pettina troppo.

7 Loro si sono innamorati.

8 Noi ci siamo abituati.

9 Io mi chiamo Betinha.

10 Noi ci stanchiamo di studiare.

9. Metti al passato prossimo queste frasi; attenzione all'uso dei verbi riflessivi!

Chiavi:

1 Ieri Paolo è andato a correre, si è sporcato molto e quanto è tornato a casa ha dovuto lavare la tuta.

2 Ieri, anche dopo la doccia, Paolo ha avuto paura di puzzare di sudore e si è messo il deodorante.

3 D'improvviso Paolo si è ricordato che è stato invitato a una festa.

4 Allora, in fretta, si è tolto la maglietta e si è messo una camicia e una giacca.

5 Ha fatto tutto di corsa, si è preoccupato un po' e alla fine si è trovato ancora bagnato di sudore…

6 Allora è tornato in bagno e si è dato un po' di profumo… ma il profumo e il deodorante lo hanno fatto sentire troppo profumato e si è sentito molto imbarazzato!

PERCORSO 7

Sul piano grammaticale questo percorso è fondamentale: finora gli studenti hanno imparato il presente nei suoi due aspetti, quello abituale e quello momentaneo (costruito con l'ausiliare *stare* e il gerundio); quanto al passato, nel Percorso 6 hanno imparato il passato prossimo, che è un passato concluso, mentre qui completano con il passato continuato, cioè l'imperfetto, che consentirà agli studenti di narrare più compiutamente le loro esperienze.

Inoltre, in questo Percorso il sistema verbale riceve anche un ulteriore ampliamento, sebbene indiretto, attraverso l'uso del presente per indicare il futuro e, nella struttura *se* seguito da due presenti, per fare ipotesi. È una forma ampiamente diffusa nell'uso quotidiano.

Infine, si lavora sull'imperativo sia affermativo sia negativo.

Questa focalizzazione del Percorso 7 sul verbo è dovuta al fatto che a questo punto gli atti comunicativi da compiere in italiano divengono più complessi – e motivanti, perché consentono una comunicazione di livello meno scolastico.

Percorso 7			
Unità 19 *Che tempo fa?* **Unità 20** *Dov'è?* **Unità 21** *Aiuto!*	- chiedere e dare informazioni stradali - dare ordini, consigli; vietare - descrivere, informarsi sul tempo meteorologico - esprimere ammirazione, invidia - esprimere preoccupazione - fare ipotesi - richiamare l'attenzione Approfondimenti e ripasso: - esprimere accordo e disaccordo, con enfasi - localizzare luoghi	- imperfetto indicativo - imperativo affermativo e negativo, inclusi alcuni irregolari - presente con funzione di futuro - pronomi personali tonici - *se* + due presenti indicativi Approfondimenti e ripasso: - nozioni di spazio	- città medievale - clima - mezzi di trasporto - permessi di residenza - problemi di malavita - vacanze "ponte"

UNITÀ 19: CHE TEMPO FA?

LEZIONE 37: OGGI C'È IL SOLE!

1, 2, 3, 4. Guarda le foto con un tuo compagno. Secondo voi, cosa stanno facendo i due ragazzi? (CD 3 TRACCE 13 E 14)

Dopo le usuali domande riferite alle foto che consentono di focalizzare l'attenzione sul tema della lezione, e dopo un primo ascolto globale, che ha come compito quello di confermare o smentire le ipotesi iniziali, si passa a un ascolto più analitico, con delle domande di cui qui si danno le chiavi:

1 Sì. 2 Sì, perché dice che anche a lui le vacanze fanno l'effetto che fanno a Manuela: di voler ripartire subito, quando finiscono. 3 No. 4 Sì. 5 Sì, perché gli dice che volere è potere.

5, 6. Nella conversazione ci sono pronomi di due tipi. Completa la tabella con i pronomi che trovi.

A questo punto, in maniera induttiva, arriviamo a formalizzare una struttura complessa come quella dei pronomi personali complemento che finora è stata usata in maniera intuitiva:

Chiavi:

mi	me
ti	te
lo/la/l' gli/le	lui/lei
ci	noi
vi	voi
li/le gli	loro

Quando prima del pronome c'è una preposizione usiamo i pronomi tonici *me, te, lui/lei, noi, voi, loro.*

7. Completa le frasi con un pronome tonico (*me, te,* ecc.).

Chiavi: 1 te, 2 voi, 3 loro, 4 lei, 5 me, te, 6 noi.

8, 9, 10. Rispondi alle domande con *anche a me/neanche a me, a me sì/a me no.*

Risposte libere. La struttura della sequenza tra i tre esercizi è chiara: prima si lavora leggendo e con poca produzione, poi si passa alla scrittura più libera, infine si passa all'orale.

11. Che tempo fa? Lavora con un compagno. Abbinate i simboli alle parole del riquadro.

Chiavi: 1 nebbia, 2 pioggia, 3 sereno, 4 nuvoloso, 5 variabile, 6 vento(so), 7 neve.

12. Ora abbina le frasi ai simboli del tempo dell'attività 11.

Chiavi:

1 Oggi c'è il sole = 3
2 Domani forse piove = 2
3 Fa molto freddo. Probabilmente stanotte nevica = 7
4 Chiudi la finestra, c'è molto vento. = 6
5 Non vedo niente! C'è molta nebbia. = 1
6 Che tempo mette il giornale per domani?
   Dovrebbe essere variabile. = 5

7 Hai già guardato che tempo fa?

Sì, è nuvoloso. = 4

8 Che bella giornata! Finalmente è sereno ed è caldo! = 3

9 È brutto anche oggi! Non posso andare in piscina, che rabbia! = "brutto" è un insieme di tutti gli aspetti negativi.

10 Ciao mamma come stai? Che tempo fa lì?

Oggi fa bello, ma è stato brutto per una settimana. = come sopra, "bello" vuol dire che c'è il sole, ma "brutto" può essere pioggia, vento, nuvolo, nebbia, ecc.

13. Guarda le frasi dell'attività 10 e completa la tabella.

Chiavi:

(Il tempo) è	C'è	Verbi	Fa
nuvoloso	la nebbia	piove	bello
variabile	il vento	nevica	brutto
sereno			

UNITÀ 19: CHE TEMPO FA?

LEZIONE 38: E SE DOMANI PIOVE?

1, 2. A coppie leggete l'sms di Manuela a Eleonora...

È un testo di partenza molto breve, ma serve per focalizzare la struttura base, la possibilità di usare il presente per parlare del futuro. Notare come qui e nell'es. 3 i due nomi vengono ridotti alle prime due sillabe; questo fenomeno è sempre più diffuso: Sebastiano diventa Seba, Mattia diventa Matti, Stefania è Stefi, Michele Michi, e così via.

3. Completa l'sms per aiutare Manuela.

Chiavi: piove, state a letto, visitate un museo, è sereno / c'è il sole, è nuvoloso, andate a passeggiare, c'è nebbia, c'è nebbia.

4. Per capire le previsioni del tempo...

nord

ovest   est

sud

5, 6, 7. Ascolto. (CD 3 TRACCE 15 E 16)

Trascrizione:

Previsioni del tempo per i prossimi giorni. Al Nord il tempo si mantiene sereno domani e dopodomani. Sabato è in arrivo una forte perturbazione dalla Francia. A partire dal Nord-ovest è previsto un peggioramento con piogge e temporali localmente forti già da sabato mattina, in estensione a tutto il Nord, al Centro e Sud Italia durante la giornata di sabato e di domenica. Domenica piogge e temporali al Centro e al Sud, nuvoloso al Nord con tendenza la miglioramento. Le temperature previste per giovedì 30 aprile: al Nord le temperature sono in netto aumento, sopra la media del periodo. Le minime comprese tra i 10 e i 12 gradi in pianura. Tra i 20 e i 25 le massime. La città più calda sarà Bologna con 25 gradi centigradi.

Al Centro e al Sud, a causa della perturbazione che ha appena lasciato l'Italia, le temperature sono ancora sotto la media stagionale: al Centro sono comprese tra i 7 e i 10 gradi e al sud tra i 9 e gli 11 gradi in pianura. A Roma la minima sarà di 8 gradi e la massima di 15. A Bari la minima di 10 e la massima di 16.

Chiavi:

	temperature minime	temperature massime
Nord	da 10 a 12	da 20 a 25
Centro	da 7 a 10	da ..... a.....
Sud	da 9 a 11	da ..... a.....

Bologna		25
Roma	8	15
Bari	10	16

8. Eleonora suggerisce a Manuela di andare a Venezia in treno.
Chiavi: 1 autobus, 2 aereo, 3 nave, 4 barca, 5 macchina, 6 moto, 7 (a) piedi, 8 bici(cletta).

9, 10. Come vai a lavorare? Rispondi alla domanda e completa la tabella.
Risposte libere e personali.

Fonologia

11, 12. Ascolta e ripeti (CD 3 TRACCIA 17)

VITA ITALIANA

Le informazioni che compaiono in questa lettura sono generali, ma possono variare, ad esempio:
- la Festa della Repubblica, il 2 giugno, era stata cancellata come vacanza dai governi degli anni Novanta ed è stata reintrodotta durante la presidenza Ciampi nel 2005;
- Pentecoste, che è festa in molte nazioni europee, è lavorativa in Italia, ma alcune forze politiche stanno pensando di re-introdurla;
- ci sono poi feste che riguardano solo alcune regioni: sono feste scolastiche (i calendari delle scuole sono stabiliti dalle Regioni, non dallo Stato) che però spingono le famiglie a chiedere un giorno di ferie, soprattutto se così possono fare un bel ponte.

APPROFONDIMENTI

In questa pagina di approfondimenti riprendiamo il lavoro sul dizionario che avevamo iniziato nei Percorsi 1 e 2. I primi tre esercizi riguardano la capacità di fare definizioni (da controllare poi nel dizionario) – abilità fondamentale per imparare a sopperire alle carenze lessicali.

1, 2, 3, 4.
Risposte personali, che possono essere confrontate con i compagni e con l'intera classe.

5. Usa un pronome atono (mi, ti, ecc.) al posto di quello tonico (me, te, ecc.).
Chiavi: 1 ti piace, 2 dovete ascoltarmi/mi dovete ascoltare, 3 regalarvi, 4 devo parlargli/gli devo parlare, 5 devo parlarle/le devo parlare.

UNITÀ 20: DOV'È...?

LEZIONE 39: SCUSI, DOVE È...?

1, 2. A coppie guardate le foto. Quali posti rappresentano?
Chiavi: stazione, banca, ospedale, biblioteca.

3, 4, 5, 6 e 7. Ascolta le conversazioni. Di quali luoghi pubblici parlano le persone? (CD 3 TRACCE 18, 19 E 20)
Chiavi dell'esercizio 3:

prima conversazione	piscina, palestra, scuola
seconda conversazione	stazione di polizia, cinema, teatro, chiesa
terza conversazione	tribunale, parcheggio, monumento

Chiavi dell'es. 4: semaforo, ponte, piazza, curva, strada, autostrada, incrocio, parcheggio.

Chiavi dell'es. 5: curva.

Completamento dei dialoghi dell'esercizio 6:
1 gira, va', prendi.
2 va', passa, prendi, non prendere, non andare, gira.
3 seguite, tornate, lasciate, Prendete, non arrivate, prendete, scendete.

9. Osserva le conversazioni dell'attività 6 e completa la tabella.
Chiavi: prendi, non prendere; segui, non seguire;
      prendete, non prendete; seguite, non seguite;
      prendiamo, non prendiamo; seguiamo, non seguiamo.

10. Completa le frasi con un verbo preso dal riquadro.
Chiavi: 1 prendi, 2 non entrare, 3 non scendere, 4 non parlare, 5 va', gira, 6 va', non tornare, 7 compra, 8 chiama, 9 sta'.

11. Ora metti le frasi dell'attività 10 al plurale.
Chiavi: 1 prendete, 2 non entrate, 3 non scendete, 4 non parlate, 5 andate, girate, 6 andate, non tornate, 7 comprate, 8 chiamate, 9 state.

UNITÀ 20: DOV'È...?

LEZIONE 40: E COME CI ARRIVO?

1, 2. Per entrare nel tema della lezione.
Chiavi: 1 davanti (anche vicino), 2 dietro, 3 sopra, 4 tra, 5 di fianco, 6 sotto.
Mancano: all'inizio e in fondo.

3, 4, 5, 6 e 7. Guarda la foto. Quali problemi puoi avere in una città come questa, se devi cercare un posto che non conosci? (CD 3 TRACCE 21 E 22)
A Venezia è facile perdersi. Le strade che sulla cartina o nella percezione dei veneziani sembrano dritte in realtà non lo sono e chi non conosce la città è in difficoltà.
Venezia è piena di turisti e non sai a chi chiedere informazioni. I veneziani sono continuamente disturbati dalle domande dei turisti. I tempi sono più lunghi perché uno che non conosce la città deve stare costantemente attento a non perdersi.
Ricordiamo che, come indicato nel primo Percorso, a Venezia le vie si chiamano "calle"; qui viene anche introdotto "campo", che sta per "piazza".

Trascrizione es. 6: le differenze della conversazione audio, rispetto a quella riportata nel testo (qui fra parentesi), sono evidenziate in grassetto.

Matteo:	Elisa, adesso secondo te dove dobbiamo andare?
Elisa:	Non ho idea. Quel ragazzo di prima ci ha detto di andare (in fondo a sinistra) **sempre dritto** ma adesso c'è solo acqua! Cosa facciamo?
Matteo:	Torniamo (all'inizio) **indietro** e chiediamo a quelle due persone là in fondo. Scusate, (sapete) **ci sapete dire** dov'è Campo Santa Margherita?
Turista:	Mi dispiace, ma ci siamo persi anche noi!
Elisa:	Matteo, ma dove siamo?
Matteo:	Vieni, chiediamo alla signora dell'edicola. Mi scusi mi sa indicare la strada per Campo Santa Margherita, per favore?
Edicolante:	Sa che lei è il decimo turista che mi chiede informazioni questa mattina? Andate dritto, passate (un incrocio) **il ponte**, seguite la strada. È una via che va un po' a (sinistra) **destra**, poi trovate un altro canale e un ponte. Non prendete quel ponte ma seguite (la strada) **il canale** a sinistra e quando arrivate in fondo trovate un campo, una piazza, è Campo San Pantalon. Passate il (semaforo) **ponte** e arrivate in Campo Santa Margherita.
Matteo:	Sembra facile! Quanto tempo ci vuole da qui?
Edicolante:	Per me ci vogliono (15) **10** minuti, per voi non lo so…
Matteo:	Grazie, arrivederci.
Elisa:	Aspetta, Matteo. Signora, mi dà (Il Corriere) **La Repubblica** per favore?

8, 9, 10. Lettura.
Possibili soluzioni:
Mi chiamo Robert, sono avvocato. Mi occupo dei problemi degli immigrati. Di solito prendo l'autobus per andare in ufficio. Poi cambio e prendo la metropolitana fino a Piazza Duomo. Da lì cammino per 5 minuti. Quando torno a casa, spesso mi cambio e vado nel parco a correre un po'. Abito lontano dall'ufficio ma dove vivo ci sono molti parchi dove posso fare un po' di attività fisica o semplicemente passeggiare con mia moglie. Ciao, sono Chiara. Studio medicina. Quando vado a lezione in ospedale di solito uso la bicicletta, se non piove. Altrimenti prendo l'autobus. Se vado in bicicletta, a volte quando finisco le lezioni riesco a fermarmi in centro a chiacchierare con i miei amici.

---

12. Completa lo schema.

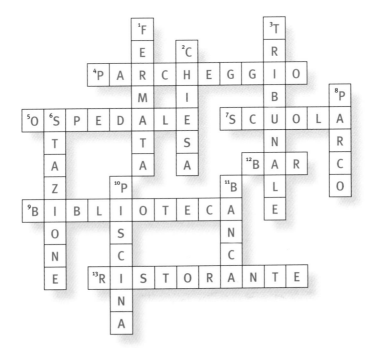

13. Trasforma questi ordini in consigli...

Chiavi: 1 non bevete, 2 non andate, 3 camminate.

14. Riscrivi queste frasi usando l'imperativo.

Chiavi: 1 Va' verso la chiesa!, 2 Non salite per quelle scale!, 3 Non usate il dizionario!, 4 State attenti al cane!

15. Ancora un po' di imperativo.

Chiavi: 2 non girare a destra, 3 non guardate il sole, 4 non venire qui, 5 non guardare, 6 non andare di là.

Fonologia

16, 17. Ascolta e ripeti. (CD 3 TRACCIA 23)

18. Ascolta e riscrivi le parole nella colonna giusta. (CD 3 TRACCIA 24)

/ll/	/rr/
stella, cellulare, cappello, bello, tortello, villaggio, pelle	correre, terrazzo, tradurre, birra

VITA ITALIANA

Viene presentata una delle forndamentali caratteristiche delle città medievali europee, non solo italiane: la sensazione di "irrazionalità" di queste strutture urbane nella percezione di chi proviene da città basate sul principio delle antiche città romane, con un reticolo di strade parallele che si incrociano ad angolo retto.

APPROFONDIMENTI

1. A coppie, uno di voi pensa a una destinazione su questa piantina.

Esecuzione libera.

2. Riscrivi queste frasi usando l'imperativo, come nell'esempio.

Chiavi:

2 Non prendete/prendere a destra!

3 Non usate/usare il cellulare in chiesa!

4 Fate attenzione!

5 Lasciate la bicicletta in cortile!

6 Non lasciare la bicicletta laggiù!

7 Non fumate/fumare nei ristoranti!

3. Usa un'indicazione di luogo diversa.

Chiavi: 1 vicina, 2 tra, 3 dietro, 4 all'inizio, 5 in fondo, 6 dietro, 7 di fianco a.

UNITÀ 21: AIUTO!

LEZIONE 41: SALVARSI DAI LADRI...

1. Guarda i disegni e abbinali alle parole del riquadro.

La sequenza delle foto riprende la sequenza delle parole.

2, 3. Una sera della scorsa settimana Fabrizia ha avuto una disavventura.

"Forse", come suggerisce la consegna dell'esercizio, è il numero 3; oppure, "forse" è il numero 4. Quello che è certo è che non possono essere gli altri articoli perché le vittime non sono donne. Probabilmente, identificandosi con la giovane di 23 anni, molti studenti indicheranno il rapimento, ma dalle consegne degli esercizi non compare nulla che possa indicare l'età di Fabrizia. C'è poi una considerazione diciamo di ordine storico oltre che sociologico: i rapimenti in Italia sono un crimine che oggigiorno risulta molto, molto raro.

4. Leggi nuovamente i titoli degli articoli e completa la tabella.

Chiavi:	Dove è successo?	Che cosa è successo?	Quando è successo?
Articolo 1	All'aeroporto di Malpensa.	Hanno trovato 5 chili di cocaina.	Non si sa
Articolo 2	Nella casa di due anziani fratelli a Milano (probabilmente).	Tre ladri armati sono entrati nelle loro stanze.	Di notte.
Articolo 3	Probabilmente in Veneto. Per strada a un semaforo.	Cinque rapitori hanno costretto una ragazza a scendere dalla sua macchina e l'hanno fatta salire su una loro auto rapendola.	Verso le 23 ieri sera.
Articolo 4	Per le strade del centro di Genova.	I Carabinieri hanno arrestato uno scippatore di 16 anni.	Ieri mattina.
Articolo 5	Nell'Agenzia 3 della Banca Popolare in Via Archimede.	Due uomini armati hanno rapinato una banca.	Non si sa.

5, 6, 7. Ascolto. (CD 3 TRACCE 25 E 26)
Nell'es. 6 le chiavi sono: 1 no, 2 no, 3 sì, 4 no, 5 no, 6 no, 7 sì, 8 no, 9 sì.

8. Leggi nuovamente gli articoli...
La scoperta del passato continuato, reso con l'imperfetto, dovrebbe essere svolta induttivamente, ma poi l'insegnante può spiegare quanto è importante per la comunicazione.

9. Inserisci i participi passati e gli imperfetti.

10. Forma delle frasi.
Chiavi:
1 Mentre tornavo a casa ieri pomeriggio, è cominciato a piovere.
2 Mentre ascoltavo la musica questa mattina, ho preparato l'esame per i miei studenti.
3 Mentre puliva le finestre, Maria è caduta dalla scala.
4 Mentre Saverio e Linda mangiavano, è arrivato Michele.
5 Mentre Lorella faceva la doccia, è suonato il cellulare.
6 La casa di mia nonna era piccola ma molto accogliente.

11. Completa le frasi.
Risposte libere.

12, 13, 14. Hai mai avuto disavventure simili a quella di Fabrizia?
Attività per stimolare all'uso della lingua.

UNITÀ 21: AIUTO!

LEZIONE 42: ...E SALVARSI DAI BUROCRATI!

La foto della bilancia della giustizia va spiegata agli studenti di culture in cui questa allegoria non è diffusa.

1. Discuti con due compagni.
Si può ricordare che nel 2007 l'Italia è stata in prima fila nel condurre le trattative all'ONU per una sospensione mondiale della pena di morte.
Si può anche ricordare che uno dei testi fondamentali contro la pena di morte è stato scritto nel 1764 da Cesare Beccaria: *Dei delitti e delle pene.*

2. Ora abbina i nomi dei crimini ai criminali.
Chiavi: 1 con e, 2 con b, 3 con d, 4 con a, 5 con c.

3, 4, 5, 6. Ascolto. (CD 3 TRACCE 27, 28 E 29)

Il testo dell'intervista è il seguente e le differenze sono evidenziate in grassetto:

Intervistatore: Ileana, ci racconti dei tuoi primi mesi in Italia? Dei tuoi rapporti con la burocrazia italiana, ad esempio.

Ileana: Sono passati già 8 anni, ma mi sembrano pochi giorni. Quando sono arrivata in Italia, ero molto giovane, avevo 15 anni. Mia sorella viveva da più di dieci anni a Brescia. Lei è sposata con un italiano e ha la **cittadinanza** italiana. È riuscita a invitarmi con un **visto** che mi permetteva di rimanere in Italia a lungo, non solo per turismo e così ho cominciato a vivere qui. Sono andata a scuola, ho imparato l'italiano e poi dopo la scuola, a 19 anni ho cominciato a lavorare. Ora spero di iscrivermi all'università, ma studiare costa, in Italia…

Intervistatore: Ti ricordi cos'hai dovuto fare per avere il **permesso di soggiorno**?

Ileana: È stato un po' lungo, ma non ho avuto grandi problemi. Solo qualche giro, all'anagrafe del Comune, alla polizia in Questura e poi non avevo il **codice fiscale** italiano… ma era indispensabile per molte cose. Anche per l'**assistenza sanitaria**.

Intervistatore: Ora sei cittadina italiana?

Ileana: No, non ancora e non so quando potrò diventarlo. Ma non ho grandi problemi: devo solamente rinnovare il permesso di soggiorno ogni due anni e tutte le altre cose, la **residenza**, l'assistenza sanitaria…

Intervistatore: Cosa puoi consigliare a uno straniero che viene a vivere in Italia?

Ileana: Mi sembra di essere mia nonna… Secondo me, non basta trovare un lavoro e una casa: bisogna studiare la lingua e anche capire, studiare come vivono gli italiani, conoscere le leggi.

Chiavi dell'es. 4: 1 sì, 2 no, 3 no, 4 no, 5 no, 6 no, 7 no, 8 sì.

7, 8, 9, 10 e 11. Lettura di testi che spiegano come funziona la legge o la burocrazia.

Le foto di immigrati di queste pagine mostrano una realtà dell'Italia assai poco nota, che tuttavia consta di quattro milioni di persone non italiane che hanno scelto il nostro paese, nella maggior parte dei casi, per migliorare le proprie condizioni di vita.

Il testo è complesso ma si può riuscire a cogliere l'informazione principale e poi lavorarci con più attenzione in una lettura analitica guidata dall'insegnante.

L'ordine è il seguente: 6, 3, 1, 4, 2, 5.

Il testo è stato preso da: www.justlanded.com/italiano ed è qui proposto modificato.

Fonologia

12, 13. Ascolta e ripeti. (CD 3 TRACCIA 30)

14. Ascolta e scrivi le parole nella colonna giusta. (CD 3 TRACCIA 31)

/tt/	/t/
prosciutto, ricetta, risotto, sotto, tetto, tutto, affitto, attenzione, mattina, mettere	sbagliato, significato, solito, limitato

VITA ITALIANA

Spesso sentiamo dire in Italia che tutti gli albanesi, tutti i romeni, tutti i marocchini (ma ci si può mettere qualunque nazionalità degli immigrati) sono delinquenti, cattivi, ladri, mafiosi… Eppure ai tempi dell'emigrazione italiana (*Quando gli albanesi eravamo noi*, per dirla con il titolo di un libro di G.A. Stella) erano gli italiani a essere considerati tutti ugualmente mafiosi… Questa breve lettura, cui segue nella stessa pagina l'esercizio di comprensione, affronta il tema del pregiudizio.

APPROFONDIMENTI

1. Verifica la tua comprensione.
Chiavi: 1 Nella piccola criminalità., 2 Negli omicidi, nelle sparatorie., 3 La mafia dava ordine e protezione. 4 Come tutte le mafie del mondo, anche quella italiana è legata al traffico di droga, "schiavi" e merci falsificate., 5 Vivono male perché la mafia li sfrutta e non li protegge più.

2. Molte parole nuove che trovi nel testo sulla mafia sono della stessa famiglia di altre che conosci già.
Chiavi:

arrabbiato	si arrabbiano (arrabbiarsi)	povero	povertà
controllare	controllato	proteggere	protezione
criminale	criminalità	raccontare	racconto
dominare	dominio	reale	realtà
enorme	enormemente	regola	regolato
famoso	fama	vendere	vendita
possedere	possesso		

3. Inserisci le forme dell'imperfetto, alla persona indicata.

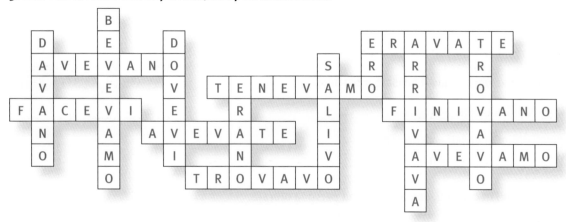

4. Trasporta dall'imperfetto al passato prossimo.
Chiavi:
2 Non ho capito niente., 3 Ho fatto molta fatica., 4 Non ho trovato la strada., 5 Ho dato sempre fiducia., 6 Ho finito a fatica la cena., 7 Ho ascoltato con attenzione.

5. Completa queste situazioni...
Risposte libere.

AUTOVALUTAZIONE DEL PERCORSO 7

1. Completa queste situazioni...
Risposte aperte.

2. Rispondi usando *anch'io* / *neanch'io* oppure *anche a me* / *neanche a me*.
Chiavi: 1 Non piacciono neanche a me., 2 Non resto neanch'io., 3 Vengo anch'io. Notare questo uso di "venire". In italiano non possiamo rispondere in questo caso con "andare"., "Vengo anch'io" sottintende "con te" per questo si usa "venire"., 4 Non l'hanno messo neanche a me., 5 Non piacciono neanche a me., 6 Non la mangio neanch'io., 7 Piace calda anche a me.

3. Inserisci nei riquadri le forme dell'imperfetto dei verbi indicati.

Chiavi:

io	studiavo	mettevo	ero
tu	andavi	finivi	capivi
lui	aveva	veniva	sapeva
noi	scrivevamo	parlavamo	leggevamo
voi	potevate	dovevate	volevate
loro	temevano	amavano	desideravano

4. Inserisci nei riquadro i participi passati degli stessi verbi dell'es. 3.

Chiavi:

studiato	messo	stato
andato	finito	capito
avuto	venuto	saputo
scritto	parlato	letto
potuto	dovuto	voluto
temuto	amato	desiderato

5. Inserisci l'ausiliare di prima persona singolare nei passati prossimi.

Chiavi: 1 sono andato, 2 sono venuto, 3 ho visto, 4 ho detto, 5 ho pensato, 6 sono stato, 7 ho mandato, 8 sono partito, 9 ho giocato, 10 ho parlato

6. Completa queste situazioni usando il passato prossimo.

Risposte aperte.

7. Trasforma questi ordini in divieti e viceversa.

Chiavi: 1 Va' lassù!, 2 Non andate laggiù!, 3 Non bere!, 4 Mangia!

8. Trasforma questi ordini in consigli, usando la prima persona plurale.

Chiavi: 1 Restiamo qui fino a stasera!, 2 Non prendiamo la macchina, stasera, andiamo a piedi!

9. Riscrivi queste frasi usando l'imperativo.

Chiavi: 1 Va' verso la chiesa!, 2 Non salite per quelle scale!, 3 Non usate/usare il dizionario!, 4 State attenti al cane!

10. Tu conosci già un'altra forma passata dei verbi. Ricordi come si chiama?

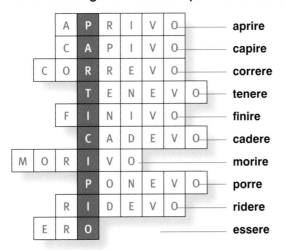

aprire
capire
correre
tenere — coprire
finire — dare
cadere — ascoltare
morire — stare
porre — fare
ridere — mettere
essere — trovare

PERCORSO 8

Su piano grammaticale ci sono due passi definitivi: da un lato la sequenza temporale dei verbi viene completata, anche se il futuro reso attraverso il presente indicativo era stato anticipato dal Percorso 7; e poi si formalizza un elemento già induttivamente presentato in precedenza: l'impersonale.

La dimensione funzionale ha due accentuazioni, una interpersonale, specificamente quel che concerne offrire, accettare, invitare e quello che riguarda il fare promesse.

Percorso 8			
Percorso 8 Unità 22 *Festa e allegria* Unità 23 *Il futuro* Unità 24 *Progetti di vita*	- dare istruzioni in cucina - esprimere lo stato psicologico - fare, accettare, rifiutare un invito - fare previsioni, promesse, anche usando il futuro Approfondimenti e ripasso: - descrivere le persone - fare ipotesi - dare suggerimenti	- *si* impersonale - futuro - i pronomi relativi	- ambiente - cucina etnica in Italia - Italia futura - oroscopo - pensionati e anziani - vacanze alternative

UNITÀ 22: FESTA E ALLEGRIA

LEZIONE 43: UNA FESTA PER UN AMICO

1. Guarda le foto, poi leggi il messaggio e completalo con una parola del riquadro.
È una festa di laurea, come si vede dal cappello con la scritta "dott(ore) ing(egnere)".

2, 3, 4, 5, 6. Ascolto. (CD 3 TRACCE 32, 33 E 34)
Dopo l'esercizio di predizione e quello di primo ascolto, le soluzioni al secondo ascolto sono:
1 18.
2 Trovare un alloggio in un agriturismo.
3 Due ragazzi che hanno un gruppo musicale.
4 Un dj amico di Francesca.
5 È messicano.
6 Una cena messicana.
7 Fagioli neri, riso bianco, carne o pesce, un antipasto e un aperitivo.
8 Non si sa, però le due ragazze vogliono raccogliere dei soldi.

Le parti mancanti nella trascrizione sono forme impersonali, che introducono il focus grammaticale della lezione.
Chiavi: 1 si può vedere, 2 si può fare, 3 si riesce, 4 si deve preparare, 5 si può organizzare, 6 si può dire.

7. Leggi la ricetta e poi metti in ordine le fasi della preparazione.
La sequenza è:
1 disegno in alto a destra   4 disegno in basso a sinistra
2 disegno in alto a sinistra   5 disegno centrale
3 disegno in basso a destra

8. Ora scrivi il verbo che corrisponde a ogni disegno.
Chiavi: pulire, fare a pezzetti, mescolare, aggiungere, servire.

9. Alcuni dei verbi del riquadro non ci sono nella ricetta.
Chiavi: friggere, bollire, tagliare, grattugiare, tritare.

11. Trasforma le frasi come nell'esempio.
Chiavi:
1 In Italia si va spesso in vacanza al mare.   5 In Italia si ama viaggiare.
2 In Italia si legge poco.   6 In Italia si va a scuola a 6 anni.
3 In Italia raramente si conosce bene una lingua straniera.   7 In Italia si vota a 18 anni.
4 In Italia si mangia spesso la pasta.   8 In Italia si va in pensione mediamente verso i 60 anni.

UNITÀ 22: FESTA E ALLEGRIA

LEZIONE 44: UN NUOVO RAGAZZO

1. Trovate l'intruso!

Varie risposte possibili secondo la logica applicata. Alcune possibilità sono:

1 grasso, 2 magro, 3 indispensabile, 4 entusiasta, 5 indimenticabile, 6 innamorato, 7 libero, 8 interessante, 9 occupato, 10 contento.

2, 3, 4. Ascolto, prima parte. (CD 3 TRACCIA 35)

La prima parte del dialogo è la seguente:

Laura: Elisa, ciao! Che bello che sei venuta!

Elisa: Non pensavo di riuscirci! Sono contentissima! Dove si mettono le giacche? A Milano faceva un po' freddo…

Laura: Puoi metterla in quella stanza.

Elisa: Dimmi un po', è vero che hai un nuovo ragazzo?

Laura: Si dicono tante cose…

Elisa: Dai, lo voglio conoscere, qual è?

Laura: Guardiamo se lo individui: è alto, biondo, ha un naso e due orecchie enormi…

Elisa: Dai, basta! Ti conosco e ho già capito qual è…

L'es. 3 ha queste chiavi: 1 falso, 2 falso, 3 vero, 4 vero.

Quanto alla scena della festa, stando alla prima parte del dialogo, il ragazzo di Laura è quello biondo, alto, al centro.

5, 6. Ascolto, seconda parte. (CD 3 TRACCE 36 E 37)

La seconda parte della conversazione dimostra che invece è il ragazzo moro con maglia verde e gialla a destra.

Laura: Vedi quei ragazzi laggiù? Quel gruppo di tre, c'è un ragazzo e due ragazze.

Elisa: Sì, ho capito, ma non si vedono bene da qui, c'è troppo buio.

Laura: Aspetta. Lo chiamo. Luis!

Elisa: Adesso lo vedo. Ma non è italiano.

Laura: No, è messicano. È il compagno di appartamento di Juan.

Elisa: Occhi e capelli neri, immagino. Non ti conosco più. Tutti i tuoi ragazzi finora erano alti e biondi, con gli occhi azzurri…

Laura: Ma non dire stupidate… Non ho mai guardato l'aspetto delle persone… Lo sai che a me piacciono le persone intelligenti, dolci, disponibili…

Elisa: Va bene, va bene. Ma ricordati che io c'ero con te in Sardegna due anni fa…

La tabella risulta così:

Come erano gli ex-ragazzi di Laura secondo Elisa?	Come sono i ragazzi che piacciono a Laura, secondo Laura stessa?
Alti, biondi con gli occhi azzurri	Intelligenti, dolci, disponibili

8. Completa le frasi con la forma corretta del verbo.

Chiavi: 1 si mangiano, 2 si possono, 3 si parlano, 4 si realizzano, 5 si possono.

9. Completa le frasi con la forma corretta del verbo.

Chiavi: 1 fuma, 2 può, 3 studiano, 4 usano, 5 scia, 6 trovano.

10, 11, 12. Le caratteristiche dei ragazzi "belli"; le parti del corpo.

Le parti del corpo nel disegno sono 11, se l'insegnante vuole può chiedere anche *braccio, gamba, piede, ombelico.*

Lo schema include parti del corpo leggermente evidenziate nel carattere, in modo da aiutare la ricerca; nella prima riga in alto orizzontale c'è *braccio* che non compare nel disegno.

VITA ITALIANA

Sulla scia del tema della preparazione della festa si riprende un altro tema, già trattato nei Percorsi precedenti: quello dell'Italia molto differenziata tra le regioni e della nuova realtà multiculturale.
I tre esercizi della pagina a fronte sono basati su questa lettura.

APPROFONDIMENTI

1. Trova le informazioni nel testo e aggiungi quelle relative al tuo paese.

Chiavi:	In Italia	In Europa	Nel tuo paese
La cucina etnica viene da tutto il mondo.	No, viene solo da paesi non europei.	Sì, da tutti i paesi, europei e non.	
La cucina locale fa suoi i prodotti stranieri.	Sì, li assorbe nella propria tradizione.	No, i prodotti stranieri restano "stranieri".	

2. Completa le frasi con il verbo impersonale al singolare o al plurale.
Chiavi: 1 si mangia, 2 si mangiano, 3 si beve, 4 si bevono, 5 si possono, 6 si mangia, 7 si prepara, 8 non si usano.

3. Trasforma le frasi usando l'impersonale come nell'esempio.
Chiavi: 2 in Italia non si va, 3 in Italia si fanno propri, 4 in Italia si preferiscono, 5 in Italia si comincia, 6 In Italia non si sa, 7 in alcune regioni si mettono insieme, 8 si usa.

UNITÀ 23: IL FUTURO

LEZIONE 45: L'ANNO CHE VERRÀ

1, 2. L'oroscopo.
Dopo aver fatto le attività 1 e 2, se si vuole, si può fare una statistica alla lavagna su chi crede nell'oroscopo e questo può dare una buona occasione di conversazione alla classe.

3, 4, 5, 6, 7 e 8. Ascolto. (CD 3 TRACCE 38, 39 E 40)
Questa attività mostra l'uso del futuro in uno degli argomenti e tipi di testo in cui non è sostituito dal presente accompagnato da un avverbio o da altra determinazione di tempo.
Le parole mancanti nella trascrizione all'attività 6 sono i verbi al futuro:
1 succederà, 2 avrai, 3 lascerà, 4 riuscirò, 5 andrò, 6 farò, 7 costringerà.

9, 10. Le previsioni di Antonella e quelle di Giorgia.
Si continua l'argomento proponendo due ulteriori varietà di generi testuali, dopo l'intervista, il dialogo; l'insegnante può anche chiedere agli studenti di commentare alcune caratteristiche tipiche di queste forme di comunicazione che sono molto comuni presso di loro.

11. Leggi e completa la regola del futuro semplice.

Una forma di *succedere* al futuro è "succederà".

Una forma di *riuscire* è "riuscirò".

Una forma di *lasciare* è "lascerà".

Ci sono parecchi verbi irregolari al futuro come: *avere* > *avrai, andare* > *andrò, fare* > *farò*.

12. Trasforma le frasi usando il futuro.

Chiavi:

1 Se mi darai una mano a pitturare il mio nuovo appartamento, ti inviterò a cena nel migliore ristorante della città.

2 La settimana prossima partirò per il Venezuela.

3 Sicuramente domani ci sarà il sole.

4 Cosa farai l'estate prossima?

5 Domani sera uscirò con i miei compagni del liceo.

6 Sabato mattina, se avrò tempo, andrò dalla parrucchiera a tagliarmi i capelli.

UNITÀ 23: IL FUTURO

LEZIONE 46: QUALCHE GIORNO DI RIPOSO

1. Tempo di vacanze! Ma solo per pochi giorni.

Come sempre si sensibilizza al tema dell'unità e si fornisce lessico; la prima foto mostra delle *house boat*, sempre più diffuse in laghi e lagune italiani; c'è poi l'isola di Burano, nella laguna veneziana, una gita in bicicletta, un ristorante al mare o al lago, un castello (spesso questi vecchi edifici divengono agriturismi o alberghi), bagno al mare (o al lago o in acque termali), massaggi in una *beauty farm* (di nuovo un termine molto in voga che gli italiani hanno "deciso" di non tradurre, come il precedente *house boat*), un lago alpino.

2, 3. Lettura.

1 La vacanza in Toscana. Perché la Toscana è in Centro Italia. Gli altri posti sono in Emilia, in Trentino e in Veneto, cioè nel Nord Italia.

2 Quella sulle Dolomiti a Molveno. La proposta non offre itinerari in città d'arte.

3 Quella lungo il Brenta e quella nel castello di Torrechiara. I posti sono rilassanti e i modi di fare vacanza sono piuttosto lenti.

4 Quella nella Maremma. Perché tutto il percorso è in bicicletta. A Molveno c'è solamente la possibilità di andare in *mountain bike*.

5 Nei testi di quella lungo il Brenta e di quella nel castello di Torrechiara non si parla di sport. Le vacanze a Molveno e in Maremma sono invece molto attive.

3, 4, 5. Lavoro a coppie sulla programmazione delle vacanze.

Sulla base dei profili dati alle pagine cui si rimanda, si devono realizzare delle conversazioni; c'è poi un'appendice di scrittura che riprende il genere della cartolina, il quale richiede un testo breve e schematico.

Fonologia

8, 9. Ascolta e ripeti. (CD 3 TRACCIA 41)

10. Scrivi le parole che senti. (CD 3 TRACCIA 42)

comincerete, festeggiano, pronuncio, comunichiamo, pronuncerete, spiegherai, spiegano, cominciano, baceremo, comunichiamo, cominciano, bacia.

VITA ITALIANA

Continuiamo in questa lettura di cultura italiana la riflessione sulle difficoltà dell'Italia d'oggi, concentrandoci sull'incertezza dei giovani di fronte al futuro nell'era della globalizzazione. L'argomento si presta molto a una discussione sul parallelo tra la vita dei giovani italiani e quella degli studenti.
L'es. 1 degli *Approfondimenti* riguarda questa lettura.

APPROFONDIMENTI

1. Come hanno reagito gli italiani nelle grandi crisi del passato?

Chiavi:

Quando è caduto l'impero romano:	sono nate le potenze marinare che hanno dominato il Mediterraneo.
Quando l'importanza del Mar Mediterraneo è diminuita:	gli italiani sono diventati i banchieri di tutti i re europei.
Nell'Ottocento, quando l'Italia era divisa in tanti piccoli stati:	anche se con ritardo di secoli, gli italiani si sono inventati uno stato nazionale.
Quando il paese era povero e c'erano troppe persone:	è nata un'Italia fuori d'Italia, con milioni di emigranti.
Dopo la Seconda Guerra Mondiale:	c'è stato il "miracolo economico" degli anni Cinquanta-Sessanta.
Nel mondo della globalizzazione:	è nato il *made in Italy*, con prodotti di grande qualità.

2. Scrivere correttamente alcuni verbi è spesso difficile.

Chiavi:

cominciare: comincierò / comincerò — cominciavo / comincavo
cercare: cercheremo / cerceremo — cerchi / cerci
festeggiare: festeggerò / festeggierò — festeggiavo / festeggavo
spiegare: spiegerò / spiegherò — spieghano / spiegano
comunicare: comunichi / comunici — comunicavo / comuniciavo
mangiare mangiamo / manghiamo — mangierò / mangerò
baciare: bacieremo / baceremo — bacia / bachia
pronunciare: pronunchiamo / pronunciamo — pronuncio / pronunchio

3. Inserisci nello schema le prime persone singolari del futuro di questi verbi:

4. Completa queste situazioni a tuo piacere.
Risposte libere.

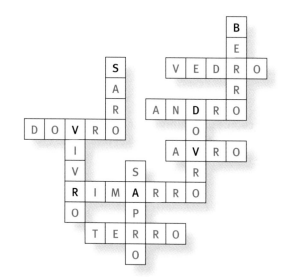

UNITÀ 24: PROGETTI DI VITA

LEZIONE 47: LA VITA COMINCIA A 60 ANNI!

1, 2, 3, 4, 5. Ascolto. (CD 3 TRACCE 43, 44 E 45)
Parole mancanti nella trascrizione (riportata nell'es. 4):
1 di, 2 pensione, 3 contento, 4 litigato, 5 sopporto, 6 ancora, 7 cui, 8 con, 9 progetti, 10 che.

La tabella dell'es. 3 ha queste chiavi:

Fabrizio	Roberto	
	+	smetterà presto di lavorare.
	+	ha litigato con il suo capo.
	+	è ancora giovane.
+		non crede che l'amico avrà problemi in futuro.
	+	ha molti progetti per il futuro.

6. Quali possibilità hanno le persone nel tuo paese per passare il tempo quando sono in pensione?
Attività che trasforma quanto ascoltato in stimoli per la scrittura (in un genere molto sintetico, gli appunti) e la conversazione. Si può anche impostare una discussione più ampia che coinvolga l'intera classe.

7, 8, 9. Lettura.
La comprensione della lettera può essere verificata direttamente in classe.
Per il resto le risposte sono libere, ciascuno deve spiegare poi alla classe la sua scelta.
Nell'es. 9: 1 parte della vita; 2 le persone.

10. Completa le frasi con *che* o *cui*.
Chiavi: 1 che, 2 cui, 3 che, 4 cui, 5 che, 6 che, 7 cui, che, 8 che.

UNITÀ 24: PROGETTI DI VITA

LEZIONE 48: AMBIZIONI

1, 2, 3. Pensa alle tue ambizioni...
Attività di sensibilizzazione al tema della lezione e di introduzione di alcuni elementi lessicali.
Nel cruciverba compaiono:
Orizzontali: calciatore, politico, manager.
Verticali: ballerino, stilista, attore.

4, 5, 6. Ascolto. (CD 3 TRACCE 46, 47 E 48)
Chiavi: 1 falso, Ridice dice di aver convinto suo padre a prestarle dei soldi, 2 falso, Lidice dice di aver voglia di lavorare e non di studiare, 3 vero, Ilaria suggerisce che sarebbe meglio andare al mare, 4 vero, Ilaria dice che l'hanno accettata all'accademia di recitazione.

7, 8, 9. Secondo te, com'è il lavoro che vuole fare Lídice?

Il primo esercizio porta a scrivere brevi note, ma è un'attività di uso orale della lingua se i due studenti devono parlare in italiano mentre concordano gli appunti; l'attività successiva fa confrontare quanto ipotizzato con la realtà. È un testo complesso ma comprensibile.

Le chiavi dell'es. di comprensione sono:

1 In Calabria, 2 Un sito archeologico e case abusive, 3 Abusivismo e interesse della criminalità organizzata, 4 Farà attività educative sull'ambiente e la fauna, 5 Si occupano di pulire l'area, eliminare la vegetazione superflua che copre la parte archeologica, i sentieri, ecc. e fanno attività di prevenzione degli incendi.

10. Cerca nel testo dell'attività 6 tre modi per dare suggerimenti e per invitare.

Chiavi:

1 Non mi va di fare un altro corso di italiano, 2 Ho voglia di venire a lavorare un po', ma per fare qualcosa di speciale, 3 Dai, perché non mi dici cosa vuoi fare?

11. Completa le frasi con un invito o un suggerimento oppure esprimendo un desiderio.

Chiavi:

1 ho voglia/mi va, 2 perché non, 3 ti va/hai voglia, mi va/ho voglia, 4 mi va/ho voglia.

VITA ITALIANA

Nella lettura dell'unità precedente abbiamo visto il problema dei giovani, qui ci focalizziamo invece sugli anziani ed anche in questo caso c'è la possibilità di un raffronto interculturale tra Italia e il paese degli studenti.

L'es. 1 degli *Approfondimenti* riguarda questa lettura.

APPROFONDIMENTI

1. Controlla la tua comprensione del testo sui pensionati.

Chiavi con risposte indicative.

1 Perché il numero degli anziani cresce sempre di più, 2 Sono persone che hanno ancora voglia di fare, hanno la mente attiva, 3 La vivono in modo attivo, imparando cose nuove, facendo gli artigiani, curando l'orto, facendo volontariato, 4 Sono persone che non sono riuscite a staccarsi dal lavoro o che non avevano altri interessi al di fuori del lavoro, 5 Si sentono vuote, guardano la televisione, quasi in attesa di morire, 6 Perché il numero degli anziani è molto alto e crescerà sempre di più.

2. Completa le frasi con *che* o *cui*.

Chiavi:

1, 3, 5, 7, 9, 10: che   2, 4, 6, 8: cui

3. Inserisci *cui* preceduto dalla preposizione adatta (*di, a, da, in, con*).

Chiavi:

1: con, a, da, di, con.   2: con, a, da, di/con, con.   3: in, in, da, di, in.

AUTOVALUTAZIONE DEL PERCORSO 8

1. Un'occhiata di insieme ai verbi.

Chiavi:

Mangiare	*Da bambino*	mangiavo molta cioccolata.
	Ieri	ho mangiato troppo e adesso sto male.
	In questo periodo	mangio poco, sono in dieta.
	In questo momento	sto mangiando un panino.
	Domani	mangerò del pesce a Rimini.

Fare	Da bambino	volevo fare l'astronauta.
	Ieri	mi sono fatto male ad una gamba.
	In questo periodo	faccio la dieta.
	In questo momento	sto facendo un esercizio difficile.
	Domani	farò vacanza: niente più frasi!
Andare	Da bambino	andavo spesso in barca.
	Ieri	sono andato in barca con i miei amici.
	In questo periodo	vado spesso in barca perché sono in vacanza.
	In questo momento	sto andando al porto, per prendere la barca.
	Domani	andrò in barca tutto il giorno.
Chiedere	Da bambino	mi chiedevo molte cose sulla vita.
	Ieri	ho chiesto un favore a Mirko.
	In questo periodo	mi chiedo perché studio l'italiano.
	In questo momento	mi sto chiedendo che senso ha continuare a studiare.
	Domani	chiederò di ricominciare da capo i verbi!
Dire	Da bambino	dicevo talvolta delle bugie.
	Ieri	ho detto una cosa stupida a Mary.
	In questo periodo	dico molte stupidaggini, e non solo a Mary.
	In questo momento	sto dicendo la verità, ma Mary non mi crede.
	Domani	dirò a Mary quello che penso di lei.
Volere	Da bambino	volevo fare l'astronauta o il poliziotto.
	Ieri	ho voluto fare troppe cose e non ci sono riuscito.
	In questo periodo	voglio riposarmi un po': sono stanco.
	In questo momento	[non si usa stare + volere]
	Domani	[volere non ha quasi mai futuro, perché una cosa la si vuole continuativamente, non a partire da domani]
Venire	Da bambino	venivo spesso a casa tua, ricordi?
	Ieri	sono venuto troppo tardi e non ti ho trovato.
	In questo periodo	vengo spesso a bere qualcosa qui, la sera.
	In questo momento	sto venendo a prenderti in macchina.
	Domani	verrò presto, così possiamo andare in giro insieme.

2. Scrivi l'aggettivo contrario.

Chiavi: brutto, magro, antipatico, vecchio/anziano, basso, grande, rilassante, amaro, caldo, vecchio, diverso/differente, uguale, cattivo, povero.

3. Usa la forma impersonale.

Chiavi:

Se si guarda qualcuno negli occhi si dà l'idea di star dicendo la verità: ma la stessa cosa non si può fare in molte culture africane e asiatiche, in cui guardando negli occhi si comunica una sensazione di sfida, di superiorità.

Si deve far molta attenzione a questi linguaggi del corpo, che spesso si credono naturali, evidenti, e invece sono legati alle diverse culture: quando si va in un paese straniero, si devono guardare bene le persone con cui si dialoga, per osservare quale comportamento si deve tenere.

4. Inserisci il verbo al futuro. Attento al modo in cui lo scrivi!

Chiavi:

1 Domani io comincerò la dieta, 2 Io cercherò di non mangiare più pane, burro, dolci, 3 E quando sarò 10 chili di meno, festeggerò per una settimana, 4 In quella settimana mangerò solo pasta, pane, burro e dolci!, 5 E poi mi guarderò allo specchio e mi bacerò!

5. *Cui* o *che*?

Chiavi: 1 È il giorno che ho aspettato da sempre, 2 È il giorno in cui ucciderò un pronome, 3 È la cosa che ho desiderato di più nella mia vita, 4 È ciò di cui avevo bisogno, 5 "Che" è un pronome che detesto, 6 "Cui" è un pronome di cui non capisco il senso, 7 È una forma che odio!, 8 Questo è il momento (a) cui ho pensato spesso.

Finito di stampare nel mese di Novembre 2008
da Grafiche CMF - Foligno (PG)
per conto di Guerra Edizioni - Guru s.r.l.